KB058699

___문해력 공부

김종원
지음

___문해력 공부

혼란한
세상에
맞설 내공

RHK
알에이치코리아

◆

하늘의 반짝이는 별도 빛나는 이유가 분명히 있다. 나를 스치는 바람에게도 여기에서 저기로 가는 이유가 있다. 비도 갑자기 내리는 것처럼 보이지만 내릴 준비가 갖춰져야 내릴 수 있다. 별 그리고 구름과 공기, 하늘의 움직임을 관찰한 자는 갑자기 내리는 비가 감작스럽지 않다. 쏜살같이 빠르게 이동하는 바람도 반짝이는 별도 그는 충분히 이해한다.

바라보지 않는 자에게만 그렇게 느껴질 뿐, 세상에 벼락처럼 갑자기 쏟아지는 것은 없다. 번개처럼 빠른 트렌드와 새로운 기술의 이동이 그에게는 마치 느릿느릿 움직이는 굼벵이처럼 보인다.

깨달음은 공부나 지식으로 얻어지는 것이 아니다. 하나를 위해 존재하는 수백 개의 또 다른 존재와 수백 개의 지식을 떠받치는 하나의 굳센 기둥을, 바라보거나 짐작하고 연결하는 자에게 주어지는 선물이다.

"배우지 말고 발견하라.
들추지 말고 침투하라.
놀라지 말고 경탄하라."

한 권의 책이
우리 삶을 구할 수 있다면

"가장 중요한 것부터 먼저 하라."

말은 쉽다. 원하는 목표를 이루기 위해서는, 우선순위를 정한 후 가장 중요한 것부터 적절한 시기에 해내야 한다는 것. 이는 누구나 알고 있는 사실이다. 문제는 그걸 알아도 실천이 어렵다는 것이다. 이 세상 모든 조언의 이치는 너무나 냉혹하다. 모든 조언이 저마다 훌륭하지만, 늘 실천이라는 관문에서 불가능이라는 벽을 만나기 때문이다. 자기계발서를 그렇게 많이 읽었는데 원하는 것을 얻지 못했다는 이유로 "이제 이런 종류의 책은 읽지 말아야지!"라며 불평하는 사람도 있다. 이유가 뭘까?

실제로 '지금이 무엇을 해야 할 때'인지 제대로 아는 사람은 "가장 중요한 것부터 먼저"라는 주변의 조언을 듣지 않아도 이미 그렇게 하고 있다. 하지만, 자신이 무엇을 해야 할 때인지 모르는 사람은 아무리 멋진 조언을 들어도 그걸 제대로 실천할 수 없다.

이건 매우 기본적이며 동시에 본질적인 문제다. 가장 중요한 것부터 시작하지 못하는 이유는, 그가 현재 '자신이 무엇을 하고 있는지 모르기 때문'이며, '자신의 강점은 무엇'이고, '세상을 어떤 방식으로 바라봐야 하는지' 그 원칙조차 없는 상태이기 때문이다. 아직 제대로 걷지도 못하는 자에게 뛰어야 한다고 말해봤자, 그건 불가능하고 공허한 외침일 뿐이다.

가끔 세상이 불공평하다고 느껴진다. 오랫동안 익혀온 일임에도 제대로 못 하는 사람이 있는 반면에, 딱히 배운 것도 아닌데 처음부터 일정 수준 이상의 성과를 내는 사람도 있기 때문이다. 당신 주변에도 그런 사람이 많을 것이다. 혹은 당신이 그런 사람일 수도 있다.

"아무리 잘하려고 해도 뜻대로 되지 않아 죽겠습니다"라며 고민을 토로하는 수많은 사람을 만나 그들의 이야기를 들었다. 그들에게 내가 지난 20여 년간 연구한 '문해력이 우리 삶에 미치는 영향'에 대해 설명했고, 문해력을 가지기 위해서 어떤 일상을 보내야 하는지 그 방법을 알려주었다. 물론 내 조언을 들은 사람 모두가 긍정적으로 변한 것은 아니다. 하지만 분명한 사실은, 내가 말한 대로 실천한 사람은 이전과 완전히 다른 삶을 살게 되었다는 것이다.

 사물을 바라보는 자신만의 원칙이 있고, 무엇을 언제 해야 할지 정확히 알고 있으며, 순서에 맞게 그 일을 배열할 줄 아는 사람들에게는 또 하나의 특징이 있다. 그들은 내가 앞에 언급한 "문해력을 자기 삶에 장착하는 방법"을 알고 이미 이런 삶을 살고 있었다.

 "서로 다른 분야의 다양한 일을 한번에 제대로 처리해 주변의 기대를 모으며 끊임없이 성장하는 삶." 동시에 책 10권을 쓰는 작가, 동시에 여러 개의 상품 기획을 하는 기획자가 이런 삶을 산다. 여기에서 중요한 것은 이들이 하나의 분야에 한정하지 않고 모든 분야로 자신의 능력을 확장한다는 사실이다. 그것도 모든 시도에서 평균 이상의 성과를 내면서. 그들은 서로 다른 분야에 대한 10가지 일을 머릿속에서 진행하며 가장 좋은 것, 혹은 지금 나가면 좋을 것을 순서에 맞춰 세상에 내놓는다. 그들이 내놓는 것들은 어김없이 인기를 얻고, 사람들은 그들의 행태를 보며 이렇게 말한다. "역시 트렌드를 아는 사람이네", "일을 할 줄 아는 사람이야", "이름값 그 이상을 해내는 멋진 사람이야" 문해력이 높은 사람들은 바로 이런 삶을 살게 된다. 세상이 돌아가는 이치에 밝기 때문에 전혀 모르는 분야에서도 문제 해결 능력이 탁월하다. 사람들과의 관계도 좋아서 사회성이 자연스럽게 성과로 이어져 소득도 높다.

물론 다 그런 것은 아니다. 문해력이 높은 이들 가운데 간혹 사회성이 부족하다고 생각되는 이들도 있는데, 그건 사회성이 없는 것이 아니라 군이 그렇게까지 힘들게 살고 싶지 않거나 그럴 필요가 없다고 생각해 능력을 꺼내지 않았을 뿐이다. 스스로 자기 삶의 대가가 된 사람은 그 능력 하나면 살기 충분하기 때문에 더 무언가를 드러낼 필요가 없다. 결국 그런 사람들은 보통 사람들이 죽을 때까지 걱정하며 힘들어하는 부분인, 일을 해결하지 못할 수도 있다는 두려움, 앞으로 세상이 변해 직업이 사라질 수도 있다는 고통, 사람들에게 나쁜 평판을 듣게 될 수도 있다는 불안한 감정을 전혀 겪지 않고 자기 일에만 집중하며 살 수 있다. 그런 자유로운 삶을 살기 위해서는 모든 일상 속에서 자신을 중심에 둬야 한다.

인간은 자신이 느끼고 상상한 만큼 성장할 수 있다. 앞으로의 세상을 더 멋지게 살고 싶다면 단순하게 누군가에게 지식을 배우는 수준에서 벗어나, 자신의 눈으로 보고 머리로 생각한 '자기만의 지식'을 더 많이 가진 사람이 되어야 한다. 그러면 스스로가 하나의 근사한 세계가 되어, 앞을 알 수 없어 두려움만 가득한 이 세상에서 흔들리지 않고 살 수 있게 될 것이다. 문해력을 가진 사람은 앞으로 이런 미래를 맞이하게 된다.

많은 사람과의 경쟁에서 살아남기 위한 각종 스펙 쌓기가 더 이상 쓸모없는 세상이 온다. 아니, 이미 그런 세상이 우리 앞에 도착했다. 평균 이상의 문해력을 가진 극소수의 사람을 제외하면, 상대의 말도 제대로 이해하지 못하는 수준 이하의 문해력을 가진 사람은 사고 능력의 결핍으로 삶의 만족과 자유를 누리지 못하게 된다.

문해력의 깊이가 앞으로 그가 꿈꾸고 바라보는 세상의 규모를 결정한다. 지금까지는 돈이 많거나 지위가 높은 사람들에 의해서 권력의 지도가 그려졌지만, 이제는 높은 문해력을 가진 사람에게 부와 권력이 집중된다. 감동만 하는 사람이 되고 싶은가, 주변에서 일어나는 미세한 변화를 느끼며 그것을 세상에 알려 감동을 주는 일상의 혁신가가 될 것인가. 세상은 간절히 후자를 원하고 있다.

스스로 생각할 줄 모르고 주변의 미세한 움직임을 섬세하게 관찰해 그것을 대중의 언어로 표현하지 못하는 사람들은 그 불가피한 결과로서 늘 불안한 마음으로 살게 된다. 되는 일이 없기 때문이다. 결국 그들은 점점 자신의 감정을 제어하지 못하는 사람으로 변화하며, 이성이 아닌 감정으로만 움직이는 사람이 된다. 지금 주변을 돌아보라. 세상은 이미 그렇게 변화하고 있다. 나는 이미 닥친 현실에 대해 말하고 있는 것이다. 인공지능에 대항할 인간의 가장 막강한 힘은 이성과 감성의 조화로운 균형에 있는데, 그걸 잃고 사는 사람이 기하급수로 늘고 있다. 불행하게도 다수의 생명이 기계와 같은 삶을 자처하고 있다.

새로운 사고방식이 새로운 일상을 살게 한다. 인간은 자신의 모든 재능을 발휘하면 과연 어디까지 도달할 수 있을까? 이 책은 인간이기에 할 수 있는 이 근사한 질문에 대한 답이다. 이 책으로 지능지수IQ를 넘어 인간의 가능성을 새롭게 정립하게 될 새로운 지적 판단 도구의 등장을 알리고자 한다.

자신도 몰랐던 자기 안에 숨은 미지의 세계를 탐험하는 기쁨을 누리며, 거대한 초경쟁 사회를 조망하듯 바라보는 여유로운 일상까지 즐기게 되길 바란다. 더 배울 필요도 특별한 노력도 필요 없다. 지금까지 배운 지식만으로도 충분하다. 그것을 효과적으로 사용할 최적의 방법만 알고 있다면. 지금까지의 경험만으로도 충분하다. 그것을 적재적소에 활용하고 배치할 수만 있다면.

지난 20년 이상 나는, 지금 그대로의 자신을 최대한 꺼내 쓰는 통찰력을 제공할 수 있는 책을 쓰기 위해 분투했다.

나의 방황을 믿듯, 그대의 가능성도 믿는다. 그대의 숨어 있는 가능성과 살아갈 희망을 찾아주는 책, 문해력 공부를 이제 시작한다.

차
례

《 1장 》

나만 몰랐던 의도

: 문해력은 세상의 기적을 지우는 무기다

맥락부터 다시 잡아야 한다

다양한 상품이 개발되고 이를 팔기 위한 경쟁이 치열해지면 자연스럽게 광고의 패턴도 다양하게 진화한다. 하지만 대중은 이미 아무리 의도를 숨겨도 "이건 광고네"라는 것을 순식간에 알아챈다. 책도 마찬가지다. 수많은 인기 북튜버들은 꽤 큰돈을 받은 대가로 책 홍보를 해 주는 것이며, 수만 명 구독자를 가진 온라인 커뮤니티에서 책을 카드뉴스 형태로 소개하는 것도 마찬가지로 돈으로 거래되는 광고다. 하지만 나는 같은 광고라도 누구에게나 같은 영향을 주는 건 아니라고 생각해 봤다. 요즘은 수백만 원 이상 투자한 콘텐츠가 광고가 아닐 가능성은 '0'에 가깝다. 광고를 광고라고 알아차린 기쁨에 집중하기보다 광고조차 자기 일에 적용할 소재로 활용하는 것이 높은 문해력을 가진 사람들의 살아가는 방식이다. 그들은 무엇이든 자신의 이익에 맞게 연결할 줄 알기 때문에 어디서든 지금보다 성장하고 나아진다.

내가 20년간 하루 수면 시간을 3시간으로 제한해 살고 있다고 하면, 대개 사람들은 놀라서 바로 이렇게 묻는다. "사람이 어찌 그렇게 살 수 있나요?", "힘들지 않으세요?", "대단하시네요!" 이런 시각으로 접근하면 3시간 수면은 마치 인간이 도저히 할 수 없는 일처럼 느껴진다. 하지만 문해력이 높은 사람들은 질문을 바꿔 핵심을 묻는다.

"무엇이 당신을 3시간만 자게 만드나요?"

이렇듯 핵심을 꿰뚫어 보는 질문 하나면 스스로 기적이라고 부르는 상황의 중심에 설 수 있다. 그렇게 질문을 시작하면 그 후에는 모든 대화가 활발하게 이어지고, 얼마 지나지 않아 상대는 나의 경쟁력을 모두 흡수해 버린다. 간단하게 말하자면 이런 방식이다. "글쓰기가 당신을 잠들지 못하게 하는군요. 어떤 마음으로 글을 쓰나요?", "글을 쓸 때 지키는 원칙이 있나요?", "글을 써야 하는 이유가 무엇인가요?" 만약 그가 보통의 사람들처럼 "사람이 정말 3시간만 자고 견딜 수 있나요?"라고 물었다면 도저히 발견할 수 없는 것들이다.

질문은 창조다. 그러나 그리 어려운 것은 아니다. 바라보는 각도만 살짝 조절하면 당신은 언제라도 당신의 입에서 새로운 질문이 쏟아지는 놀라운 현상을 목격하게 될 것이다. 그리고 '기적'이라고 생각한 것은 핵심을 관통하는 질문을 통해 이해할 수 있는 '보통의 현상'이 되고, 곧 '김종원에게 3시간 수면은 기적이 아닌 글을 사랑해서 이루어지는 자연스러운 과정'이라는 사실을 저절로 인식하게 된다. 마술을 볼 때처럼, 그것이 몰라서 놀랍게 여겨지는 것이지 알고 나면 모든 것이 물 흐르듯 자연스럽게 이해된다. 그렇게 모든 것의 중심을 꿰뚫는 높은 문해력은 세상의 기적을 하나하나 지운다. 그들에게 세상의 기적은 이해해야 할 또 하나의 대상에 불과하다.

기업 대표 혹은 자영업, 강사 등을 하다가 물의를 일으켜 사회에서 아무리 비난을 받고 매장을 당해도 어떤 사람들은 결국 다시 일어나 대중 앞에 서서 강연을 한다. 다시 팬을 모으고 그룹을 만들어 자신을 지지하는 사람들 앞에서 당당하게 성공하는 법이나 살아가는 법에 대한 강연을 하며 산다. 나는 그게 나쁘거나 못된 행동이라고 말하는 것이 아니다. 모든 상황과 이야기에는 언제나 각각의 포인트가 있다. 우리가 다시 일어나 세력을 확장하고 대중 앞에 서서 당당히 자신의 이야기를 하는 사람에게 배울 점은, 그럼에도 그는 그렇게 살도록 태어났다는 사실이며, 사람은 누구에게나 스스로 평생 반복하며 살아야 할 하나의 일이 있다는 것이다. 우리가 그에게 배워야 할 건 '성공하는 법'이나 '남보다 더 잘 사는 노하우'가 아니라, '나만 할 수 있는 하나의 일을 찾아내는 법'이다.

　무엇을 배워야 하는지 맥을 제대로 잡지 못하면 아무리 대가를 앞에 둬도 평생 제자리걸음만 반복한다. 나는 글쓰기를 말할 때 언제나 보는 법에 대해 언급한다. '눈의 인간'이 되어야 다른 글을 쓸 수 있다. 나는 글을 쓰는 사람이 아니라, 세상을 보는 사람이다. 그걸 제대로 알고 다가와야 내게서 글을 배울 수 있다. 누군가에게 무언가를 배우려고 하기 전에 상대가 지닌 경쟁력의 핵심이 뭔지 찾아라. 맥락을 제대로 알면 사기꾼에게도 무언가를 배울 수 있지만, 그렇지 않으면 제아무리 대가라고 해도 아무것도 배울 수 없다.

"모두가 무언가를 접할 수 있지만,
변화는 모두에게 일어나지 않는다."

생각의 힌트는
어디에나 존재한다

~~~~~~

"당신은 지금 생각하고 있나?" 혹은 "당신의 문해력은 높은 수준이라고 생각하나?"라는 질문에 아마 쉽게 그렇다고 답하기는 힘들 것이다. 답하기 쉬운 질문은 아니다. 그렇지만 확신에 찬 목소리로 그렇다고 답하는 사람도 분명 있다. 그런데 문제는 그렇게 답한 사람들이 지닌 확신과는 달리 그들은 생각보다 문해력이 매우 낮은 사람일 가능성이 높다는 것이다. 이유가 뭘까?

세상에서 가장 가르치기 힘든 사람은 "나는 그것을 안다"라고 생각하는 사람이다. 능력이 뛰어난 사람이 새로운 것을 잘 배우는 게 아니라, "나는 잘 모른다"라고 생각하는 사람이 무언가를 제대로 배울 가능성이 높다. 그래서 모든 문해력의 성장은 "나는 모른다"라는 생각에서 시작한다. "에이, 그걸 누가 몰라?", "그런 것들은 다 아는 것 아닌가?" 이런 식의 생각은 그를 평생 아무것도 모르는 사람으로 만들 뿐이다.

용기는 매우 중요하지만, 설익은 지식 앞에서의 용기는 자기 삶을 망치는 최악의 선택이다. 기업들이 전통을 벗어나지 않으려고 하는 이유도 마찬가지다. 그게 성공의 경험이라면 더욱더 그렇다. 하지만 문해력이 뛰어난 사람들이 모인 조직은 "이것이 지금까지 우리가 일해 온 방식이야"라는 태도를 가지고 있지 않다. 과거의 영광이 미래의 희망을 대체하지 못한다는 걸 인정하고 정책이나 일하는 방식을 바꿀 시점이 언제인지 알고 있다.

사람들이 과거의 전통을 고수하는 가장 큰 이유는, '생각'하는 걸 어려워하기 때문이다. 가장 완벽한 존재로 변화하기 위해서는 생각을 통해서 끊임없이 뭔가를 끄집어내야 하는데, 그게 되지 않으면 아무런 변화도 만들어 내지 못한다. 그런 사람에게 생각이란 노동보다 고된 일이다. 그렇다면 우선 그런 현실을 인정해야 변화를 시작할 수 있다. 원할 때마다 좋은 생각이 항상 떠오르는 것은 아니다. 누구나 근사한 대상을 통해 새로운 것을 만들어 내지 못할 때가 있다. 내게는 그럴 때 생각을 자극하는 방법이 있는데, 하나만 보지 않고 내가 설정한 목표와 전혀 관련이 없다고 판단되는 것까지 포함해 될 수 있는 한 무조건 많은 것을 바라보는 것이다. 나는 이 과정을 '생각 시작점 발견하기'라고 부른다.

무엇이든 시작이 중요하다. 일단 방향을 잡으면 끝을 볼 수 있다. 시작의 단초를 발견하기 위해, 무엇이라도 눈에 띄는 것을 눈과 머리에 담는다. 그렇게 담은 것들을 지금 고민하고 있는 문제와 동일한 위치에 두고, 그것이 서로 연결되면 새로 무엇을 탄생시킬 수 있는지 끊임없이 다양한 각도로 생각한다. 생각 시작점이 될 수 있는 단초는 생각의 자유를 허락하는 한 어디에서든 가져올 수 있다. 산책하며 눈에 보이는 모든 것, 친구와 대화를 하다가 나온 모든 언어의 파편, 사랑하는 사람과 본 영화에서 혹은 함께 듣던 음악에서도 얼마든지 찾아낼 수 있다.

만약 텍스트를 통해 그 단초를 찾고 싶다면, 철학적 표현이 근사한 인문학 책을 찾아봐도 되고, 압축적이면서 독특한 표현이 자주 나오는 시집을 들춰봐도 생각을 자극하는 데에 도움이 된다. 실제로 수많은 혁신적인 기업가와 카피라이터 들은 정기적으로 시집을 읽으며 생각을 자극한다. 하지만 당장 책이 없거나, 서점에 갈 수 없는 상황이라면 버스를 타고 거닐며 창밖으로 보이는 상점 간판이나, 라디오에서 나오는 각종 광고카피를 통해서도 무언가를 얻을 수 있다.

생각을 위한 힌트는 어디에나 존재한다. 문제는 그것을 받아들이는 당신 생각의 자유다. 자유를 허락하면 어디든 날아갈 수 있다. 문해력이 뛰어난 사람은 누가 버린 과자 봉지를 주워 거기에 쓰여 있는 글을 보면서도 새로운 생각의 실마리를 찾는다. 이런 것들에게 생각을 자극할 거리를 찾는 자신의 모습을 바보스럽다고 여기거나, 쓸데없는 짓이라 하지 말자. 그런 생각이 가장 큰 문제다. 모든 새로운 것들은 그것을 발견하기 이전엔 바보 같다는 평가를 받았음을 명심하라.

우리는 미술계의 판도를 바꾸며 독보적인 자기 세계를 구축한 피카소Pablo Piccasso가 타고난 천재라고 생각하지만, 그게 전부는 아니다. 보통 사람들처럼 그도 언제나 아이디어를 찾아 여기저기 오가며 대상을 보면서, 동시에 자신이 창조하고자 마음에 담아두었지만 아직까지는 어렴풋한 이미지를 떠올렸다. 실제로 그가 멋진 바바리코트를 입고 외출에서 돌아오면 언제나 코트 양쪽 주머니가 가득 찬 상태였는데, 그 안에 들어 있는 것들은 놀랍게도 우리가 쓰레기라고 부르는 것들이었다. 그러나 그는 장식할 가치가 없는 돌, 바람에 날아온 신문지, 버려진 병뚜껑을 조합해서 하나의 예술 작품을 창조했다.

목표로 하는 지점이 있다면, 주변을 의식하지 말고 더 자주 세상이라는 경로를 통해 가능한 모든 것을 흡수하자. 생각의 입을 아주 크게 벌려라. 흡수한 만큼 더 깊어질 수 있으니까.

> "설익은 지식을 내보이는 용기는
> 삶을 망치는 최악의 선택이다."

배우는 지식이 아닌
발견하는 지식으로

온라인 사이트에 올린 책소개 카드뉴스에 달린 댓글을 보면 한결같은 반응에 참 재밌다. '주어진 환경을 극복할 수 있는 태도'가 주제인 책에는 '환경은 극복할 수 없다'라는 식의 댓글이, '재능을 발견하는 질문법'이 주제인 책에는 '재능은 스스로 발견하는 거다'라는 식의 댓글이 달린다. 99%가 원글을 그대로 부정하는 방식의 댓글인데, 그게 가장 손쉽게 댓글을 달 수 있는 방법이어서다. 상대가 무엇을 주장하든 그걸 그대로 받아서 부정하는 방식이야 말로 쉽게 글을 쓰면서도, 뭔가 의식 있는 사람처럼 보이게 해준다. 하지만 그런 행위로 정작 자신이 얻을 수 있는 것은 그 아까운 시간을 비난만 하면서 보냈다는 것밖에 없다. 이런 사람은 글을 올바른 방향으로 읽지 못한다. 마치 돈가스 전문점에 가서 라면을 주문하고 맛이 없다고 불평하는 사람처럼. 나쁜 것은 누구라도 너무 잘 보여서 본 것을 그대로 표현하기 쉽지만, 좋은 것은 귀한 만큼 잘 찾아야 발견할 수 있다. 그러니 계속 뭐든 시도해 봐야 좋은 점을 찾을 수 있다.

한 예능 방송에서 "방송 이후 수입이 얼마나 늘었는가?"라는 진행자의 질문에 한 출연자가 이렇게 답했다. "방송 출연 이후 수입이 전보다 10배 늘었습니다." 그러자 진행자는 잔뜩 놀란 표정으로 "그럼 원래 수입이 어느 정도였나요?"라고 물었고, 출연자는 액수를 말하면서 달력에 일정이 가득하다는 말로 수입에 대한 이야기를 끝냈다.

여기에서 어떤 메시지를 읽어낼 수 있는가? 내게는 정말 다양한 메시지가 보여서, 마치 1주일을 굶은 상태에서 최고급 뷔페에 이제 막 입장한 사람처럼 설렌다. 나는 두 갈래로 방향을 잡았다. 방향의 주제는 언제나 질문 형태를 취하는 게 좋다. 그래야 시작과 과정을 짐작할 수 있어 결론을 내기 좋기 때문이다.

방향 1 수입이 10배로 늘었다는 것은 무엇을 의미하나?

— 방송에 나와 갑자기 스타가 되었다.

— 누구에게나 재능이 있다. 다만 그걸 알아보는 사람이 많아지면 돈과 인기를 얻을 수 있다.

— 방송의 위력은 대단하지만 동시에 일시적이다.

위에 나온 3가지 답을 통해 나는 이런 짧은 메시지를 하나 만들었다.

"실력은 영원하지만, 행운은 일시적이다. 행운의 신은 인내심이 강하지 않아 오래 기다리지 않는다. 행운으로 자신의 재능을 세상에 보여줬다면, 이제 행운의 신이 떠나기 전에 더욱 실력을 갈고닦아서 스스로 단단해질 수 있어야 한다."

방향 2 달력에 일정이 가득하다는 것은 좋은 걸까?

— 매일 하루에 3개 정도의 일정이 있다면 쉴 수 있을까?

— 쉴 수 없을 정도로 바쁘게 일하는 건 무엇을 의미하나?

— 제한된 자기 시간과 돈을 바꾸는 삶을 벗어나려면 어떻게 해야 하나?

그리고 나는 이런 메시지를 하나 만들었다.

"시간당 받는 금액의 가치를 올려야 한다. 자신의 가치를 스스로 정할 수 있는 사람이 되어야 바쁘게 돌아가는 일상의 늪에서 탈출할 수 있다. 돈을 많이 버는 것은 좋지만, 많은 사람이 거기에서 행복을 느끼지 못하는 이유는, 그 돈을 쓸 시간조차 허락되지 않을 정도로 바쁘게 돌아가기 때문이다. 평생 일만 하면서 살기 위해 태어난 사람은 없다."

이번에는 메시지에 직업을 연결해서 특정한 직업을 가진 사람을 위한 글로 이야기를 변주했다.

"강연 한 번 하는 게 소원인 예비 강사도 나중에는 쉴 틈 없이 일하는 바쁜 강사가 될 수 있다. 시간과 노력을 투자하면 누구나 도달할 수 있는 지점이다. 문제는 그 다음 단계로 갈 수 있느냐이다. 다음 단계로 나아가는 강사의 공통점 중 하나는 과거 한참 바쁠 때 받던 시간당 강의료보다 몇 배 이상을 받는다는 것이다. 대신 그들은 강의 횟수를 몇 배 늘어난 강의료만큼 줄인다. 자신의 일상을 한 달에 한 번만 강연을 해도 충분히 여유롭게 살 수 있게 만들어 나가는 것이다. 일을 늘려 많이 하는 건 어렵지 않다. 자신을 찾는 곳을 늘려가기만 하면 된다. 되려 일을 배제하고 삭제해 나가는 일이 어렵다."

자신의 가치를 높이고 여유를 누리면서, 당장 스스로 하고 싶은 것들을 미루지 않고 살 수 있는 일상을 구축해야 비로소 삶의 자유를 얻었다고 말할 수 있다. 하지만 이것이 끝은 아니다. '시각적 문해력'이라는 개념을 소개하면서, 삶의 자유를 누리는 더 진화한 방법을 소개하고자 한다.

"무엇이든 많이 하는 것보다
배제하고 줄여가는 게 더 어렵다."

메시지를 하나의
그림으로 만들어라

문해력은 단순하게 글을 읽는 안목을 말하는 게 아니다. 수학과 예술, 건축, 심지어는 의술까지 전혀 배운 적이 없어도 무언가를 볼 때 시각적 문해력Visual Literacy이 있으면 전문 지식조차 스스로 알아차릴 수 있다. 본다는 것은 그래서 매우 중요하다. 읽고 느끼는 것이 아니라 보는 거다. 이 말을 한 줄로 압축하면 이렇다.

"보면 저절로 알게 되는 것."

그게 바로 시각적 문해력의 매력이다.

앞서 발견하는 방법에서 언급한 내용과 결론을, 최근까지 메이저리그에서 대단한 활약을 펼쳤던 류현진 선수의 사례에 연결해 보면 글의 내용을 더욱 새롭고 탄탄하게 만들 수 있다. 우선 각종 포털 사이트에 나온 류현진의 활약을 정리하면 이렇다.

"류현진은 올해 대단한 시즌을 보내고 있다. 건강을 유지하고, 선발로 꾸준히 나서고 있다. 리그에서 최고 투수다. 그 결과 올스타전 선발 투수로도 나갔다. 투구 메커니즘과 딜리버리가 좋다. 아주 부드럽다. 타자들의 컨택을 무력화시키고, 자신의 딜리버리를 꾸준히 유지한다. 그리고 볼 카운트 싸움을 유리하게 가져간다. 직구, 슬라이더, 슬로 커브, 굿 체인지업을 섞어서 던지는데 대단하다. 그는 투수다. 진짜 투수다 He is a pitcher. a real pitcher."

이때 중요한 것은 단순하게 문장을 독해하는 것이 아니라, 투수가 공을 던지는 모습을 생생하게 그리며 눈으로 읽어야 한다는 사실이다. 그럼 더욱 선명하게 읽히며 어느 순산 '이거다'라는 부분을 발견하게 된다. 이 글을 그런 방식으로 읽으면 특히 'pitcher'라는 부분에 눈이 간다. 여기에서 의문을 품고 검색을 해보면, 미국에서는 투수를 피처pitcher와 스로워thrower로 구분한다는 새로운 사실을 알게 된다. 그럼 다시 두 부류의 투수에 대한 분석과 그것을 통해 내가 전하고 싶은 이야기를 연결해서 하나의 메시지를 완성할 수 있다.

세상에 빠른 공을 던지는 투수는 많다. 제구가 잡히지 않고 공이 빠르기만 한 투수들을 스로워라고 한다면, 피처는 공의 구속과 관계없이 뛰어난 제구력으로 마운드를 지배하는 진정한 투수를 의미한다. 그래서 지도자들도 이제 야구를 시작한 투수들을 향해 스로워가 아닌 피처가 되라는 말을 자주 한다.

노력은 하지만 뭔가 이루어지지 않아 걱정이라는 그대에게, 나는 묻고 싶다. 당신은 아무 데나 던지는 사람인가, 원하는 곳에 던지는 사람인가? 던지고 싶다고 던질 수 있는 것은 아니다. 먼저 던질 체력을 기르고, 던질 목표점을 발견하고, 거기로 던질 섬세한 기술을 연습을 통해 하나하나 쟁취해야 한다. 문해력은 결국 시각의 수준과 방향이 결정한다. 쌓는 것이 아니라 배제하는 것이며, 배우는 게 아니라 발견하는 것이다. 새로운 시각으로 바라보면 기회는 어디에나 존재한다. 풍경과 지식은 누구에게나 공평하게 자신을 허락하지만, 시각적 문해력의 수준에 따라 이를 가져가는 것은 각자의 몫이다.

시각적 문해력은 다음 3가지 과정을 통해 이루어진다.

— 눈에 보이는 모든 형태의 메시지를 먼저 하나의 이미지로 만든다. 생생하게 상상하며 그것이 마치 자신의 일인 것처럼 느껴야 한다.

— 이미지를 반복해서 떠올리며 어떤 형태의 텍스트로 변주할지 생각한다. 주변 사람들이 고민하는 문제와 앞으로 사람들에게 필요한 것들이 무엇인지 생각하며 그것을 해결해서 도와주려는 마음으로 접근하면 좋다.

— 방향이 정해지면 가장 적합한 의미와 사람을 동시에 연결해서 하나의 메시지를 창조한다.

이 책 내내 강조하겠지만 문해력은 결국 시각을 통해서 이루어지는 최고 수준의 지적 활동이며 반드시 사랑하는 사람에게 도움이 되려는 마음에서 시작해야 그 가치를 더할 수 있다는 사실을 잊지 말아야 한다. 사람을 도울 수 없는 생각이나 물건은 애초에 아무런 가치가 없다.

"남을 도울 수 없는 생각들은
애초 아무 가치가 없다."

단순한 원칙이 갖는 경쟁력

방송 프로그램마다 종횡무진 활약하는 백종원 대표를 보면, 그에게는 다른 사람에게 없는 특별한 감각이 하나 있다는 걸 알게 된다. 나는 그가 운영하는 업체수와 벌어들이는 돈, 출연하는 방송의 시청률에는 아무 관심이 없다. 중요한 것은 그가 어떻게 그 많은 것을 동시에 하면서도 모두 잘해낼 수 있느냐에 관한 답이다. 그의 삶을 세심하게 관찰하고 연구해 보니, '그 사람의 문해력이 그 사람을 살게 하는 최고의 힘'임을 다시금 깨닫게 된다.

백 대표는 식당을 열어 여러 번 실패를 거듭했지만, 결국 지금 위치에 도달했다. 고통스러운 과정을 반복하면서 그는 식당 운영이 생각대로 되지 않는다는 걸 알게 되었다.

보통의 자영업자라면 거기에서 생각을 멈추고 다른 일을 찾아보지만, 그 사실을 알면서도 백 대표가 다시 도전할 수 있었던 원천은 과한 욕심을 가지지 않아서다. 식당을 시작할 때 가장 어려운 부분이 메뉴 각각의 가격을 정하는 일이다. 가능한 한 높은 가격을 매겨 돈을 좀 더 벌고 싶은 것이 보통 사람의 마음이다. 하지만 그는 냉정할 정도로 분명한 가격 원칙을 세웠다. 그는 이렇게 생각했다. "식당은 이 일을 즐기면서 내 인건비를 벌겠다는 생각으로 해야 한다. 내 인건비와 투자비에 대한 은행 이자보다 조금 높은 수익이 가장 적당하다. 처음부터 큰 욕심을 부리면 힘들고 일이 꼬일 수밖에 없다." 이런 원칙이 있었기에 여기에 맞춰 메뉴마다 가격을 더 현실적으로 책정할 수 있었고, 은행 이자보다 조금 높은 수준으로 이익을 잡았기 때문에 일이 마음대로 되지 않을 때에도 견딜 수 있었다. 결국 그는 '수익'과 '은행 이자'를 서로 연결해서 자신의 식당 운영 원칙을 세웠고, 메뉴 가격과 운영에 필요한 모든 세부적인 사항도 그런 기준으로 어렵지 않게 그러면서도 과하지 않게 세울 수 있었다.

모두가 경쟁하는 세상을 바라보며 그가 흔들리지 않고 성장할 수 있었던 것은, 이것과 저것을 연결해서 자신의 것으로 창조하는 그의 문해력이 그의 장사를 도왔기 때문이다. 각종 음식 관련 예능 방송에서 그가 즉석에서 다양한 재료를 섞어 뛰어난 맛을 내는 음식을, 그것도 누구나 따라 하기 쉽게 만들 수 있는 것도 눈으로 이것과 저것을 연결해 내는 능력이 탁월했기 때문이다. 그에게 사업과 방송, 식당 운영과 요리는 즐거움이자 창조력을 발산하는 최고의 무대다.

"고수에게는 이 세상이 놀이터이지만, 하수에게는 생지옥이다."
이 말을 나는 이렇게 바꾸고 싶다. "문해력이 높은 사람에게는 이
세상이 놀이터이지만, 문해력이 낮은 사람에게는 생지옥이다." 고
수란 결국 상황을 재빠르게 볼 줄 아는 사람이다. 백종원 대표는
복잡한 문제를 간단하게 정리해서 해결할 줄 알며, 발상이 풍부
하고 다양해서 하나를 다양하게 응용할 줄 안다. 그래서 주변에
서 볼 때 결단이 빠르고 모르는 분야에 대해서도 금방 좋은 딥을
낼 수 있는 사람처럼 보인다.

세상은 성장과 성공을 원하는 사람들에게 결단이 빠른 사람이
되라고 요구하지만 그게 쉽지 않은 이유는 결정이 느려서가 아니
라 아직 딱 맞는 답을 선택하지 못해서이다. 반면, 결단이 빨리
이루어지는 것은 이미 상황을 재빠르게 제대로 분석해, 미루지
않아도 될 정도로 가장 좋은 답이 나와서이다.

문해력을 나의 것으로 만들기 위해서는 철저하게 나 개인의
시선으로 돌아가서 생각해야 한다. 모든 것은 결국 스스로에게서
나와야 하며, 그것만이 이 수많은 사람 속에서 당신을 세상과 구
분할 수 있게 만들 수 있다. 결국 세상을 바라보는 모든 기준과
원칙도 자신에게서 나와야 한다. 그러므로 사람들 속에 존재하는
당신이 아닌, 당신 그대로의 당신을 세상에 보여주겠다는 마음이
필요하다.

잘되는 사람은
자신의 내면을 잘 읽는다

너 자신을 알라. 이 말을 누가 처음 했는지는 분명히지 않지만 시대가 변해도 매우 중요한 조언이라는 사실에는 이견이 없다. 그런데 생각해 본 적이 있는가? 이 조언이 왜 중요할까? 한 사람의 인생 철학을 결정하기 때문이다. 이는 모든 철학의 기본이자, 흔들리지 않는 내면을 만들어 주는 단 하나의 완벽한 시작이다. 주변에 이렇게 말하며 상대가 하는 말의 의미를 몰라 고민하는 사람이 많다.

오랜만에 만난 지인이 "살 좀 빠진 것 같네"라고 말했는데, 이게 칭찬인지 아니면 놀리는 건지 잘 모르겠다는 사람이 의외로 많다. 이 글을 읽는 사람들 중에도 마찬가지로 "아니, 이걸 왜 고민하는 거지? 칭찬이잖아!"라고 생각하는 사람도 있을 거고 "이 사람 너무하네, 사람을 이렇게 놀리나!"라고 생각하는 사람이 있을 것이다. 왜 이런 일이 일어나는 걸까?

점수로 재능을 표현하는 것이 적합하진 않지만 이해를 돕고자 만약 자기 재능이 70점 정도라는 것을 알고 있는 사람이 누군가로부터 "당신 재능은 정말 위대하다. 100점 수준을 뛰어 넘는다"라는 말을 듣는다면 바로 "이건 과장이야. 내게 뭔가 원하는 게 있구나"라는 해석까지 완벽하게 할 수 있게 된다. 그러나 자기 수준을 제대로 파악하지 못한 사람은 고민에 빠진다. 자신에 대한 철저한 이해가 되어 있지 않아 기준이 없기 때문이다. "사람들이 던지는 말의 의미를 파악하기 힘들어요"라는 고민은 결국 "나는 아직 나를 잘 몰라요"라는 고백과 같다.

스피치, 글쓰기, 트렌드 분석, 대인관계, 철학, 예술, 건축, 지질학, 음악 등 세상에 존재하는 거의 모든 것을 공부하기 전에, 자신을 먼저 알아야 한다. 그것들을 배워서 자신을 알아가는 것이 아니라, 먼저 자신의 본질을 깨닫고 나서 창조적 활동에 관해 배워야 놀랍게 성장하는 것이다. 언제나 순서가 매우 중요하다. 100개를 배웠지만 하나도 사용하지 못하는 사람이 있고, 하나를 배웠지만 100가지로 변주해서 사용하는 사람도 있다. 두 사람의 결정적인 차이는 자신을 제대로 아는 힘에 존재한다.

세상을 제대로 바라보며 문해력을 자신의 것으로 만들고 싶다면 아래 제시하는 6가지 방법을 익히면서 당신 자신을 먼저 읽어야 한다.

자신의 눈으로 읽어라. 열 길 물속은 알아도 한 줄 문장 속은 모른다. 겉보기에는 같은 의미이지만 겉과 속이 다른 문장이 셀 수 없이 많다. 세상이 정한 의미를 버리자. 그건 당신의 것이 아니다. 세상이 정한 의미에 가까워질수록, 우리의 내면 읽기는 실망에 가까워진다. 당신의 모든 행동과 마음을 자신의 시선으로 바라보라. 전에 만나지 못한 다른 세상이 보일 것이다.

믿을 수 없는 글을 믿어 보라. 내가 생각하는 최고의 믿음은 믿을 수 없는 사람을 믿는 것이다. 그 사람의 잠재력을 믿고 기다리면 그는 언젠가 내게 놀라운 결과를 준다. 글도 그렇다. 현재의 자신에게 과분하거나 너무 높은 곳에 있는 글이라 생각하고 스치지 말고, 그것을 꽉 붙잡아 보자. 가장 낮은 곳에 있지만, "최고가 되겠다"라는 문장을 가슴에 품고 산다면, 곧 그 문장의 주인이 될 날이 올 것이다. 현실을 읽지 말고 만나고 싶은 미래를 읽어라.

눈이 빛나면 글도 빛난다. 도산 안창호 선생이 위대한 이유는 시대의 어둠을 탓하지 않고 스스로 나서서 꿈꾸는 것을 실천했다는 것이다. "세상에 인물이 없다고 한탄하지 말고 그대가 힘써 그런 인물이 되어라"라고 외치며 스스로 일어서 주변을 밝혔다. 글을 읽는 것도 마찬가지다. 세상에 존재하는 모든 글은 그 안에 빛을 지니고 있다. 중요한 건 그걸 바라보는 우리의 눈빛이다. '반드시 스스로 일어서겠다는 강한 다짐'과 '무언가를 만들어 내겠다는 불굴의 의지'만 있다면, 그 눈으로 읽은 글이 내게 삶의 빛을 주지 않을 수 없을 것이다.

비난을 위한 읽기는 자신을 망치는 행동이다. "책을 왜 읽는가?" 의외로 이 질문에 쉽게 답할 수 있는 사람은 많지 않다. 명확한 하나가 아닌, 다양한 이유가 존재하기 때문이다. 하지만 딱 하나 싸움과 비난을 위한 읽기는 하지 않기를 바란다. 그건 아무런 의미도 없다. 누군가를 비난하기 위해 입맛에 맞는 내용만 골라 읽는 것, 이미 정한 결론에 맞게 내용을 변형해서 지식을 악용하는 독서는 오히려 자신을 망치는 행동이다. 잘 되고 싶다면 싸우고 비난하려고 읽지 말고, 나의 성장을 위해 읽자.

절실하게 믿는 문장을 가져라. 환경은 그 사람의 삶에 매우 중요한 역할을 한다. 어디에서 누구와 함께, 무엇을 자주 보고 사느냐가 중요하다. 글도 그렇다. 가슴에 어떤 문장을 지니고 사느냐에 따라 일상의 원칙과 철학이 만들어지기 때문이다. 다 버려도 이것 하나만은 버릴 수 없다고 생각하는 문장 하나를 가슴에 품고 살자. 그 문장은 앞으로 당신이 모든 사물을 바라보며 느끼는 기준이 될 것이며, 살아갈 날의 힘이 될 것이다.

인생이 꼬였다면 읽기로 풀어라. "나는 왜 사는 걸까?" 힘든 일이 생길 때마다 우리는 이미 힘든 자신을 더 힘들게 한다. 하지만 무엇을 시도해도 잘되는 사람은 다르다. 물론 그에게도 인생이 꼬이는 시기가 있다. 그건 피해나갈 수 없는 숙명과도 같다. 하지만 잘되는 사람들은 꼬인 인생을 읽기로 푼다. 그는 인생이 꼬일 때마다 글을 읽으며 이런 질문을 통해 조금씩 인생을 풀어 나간다. "어떤 감정이 느껴지는가?" "어떤 상황이 그려지는가?" "나의 경험과 연결되는 부분이 있나?" "나는 무엇이 알고 싶나?" "어떤 내용을 내 삶에 적용하면 꼬인 인생을 풀 수 있을까?"

"풀 수 없는 인생은 없다.
풀지 않는 인생만 있을 뿐이다."

읽히지 않으려면
제대로 읽어라

~~~~~~

"가짜 뉴스에 또 속았네." 점점 이런 소리를 지르는 사람이 많아지고 있다. 이유가 뭘까? 중요한 것은 어느 누구도 "이 소식을 꼭 믿어라"라고 요청한 적이 없다는 사실이다. 그 뉴스를 선택해서 읽고 믿은 것은 오직 자신의 선택이었다. 가짜 뉴스에 속은 사람이 많아진다는 것은 스스로 생각해서 옳고 그름을 분별할 능력을 가진 사람이 점점 줄고 있다는 반증이기도 하다. 물론 가짜 뉴스 유입 자체가 늘기도 했지만 이런 뉴스가 점점 더 만들어지는 이유도 결국 속은 사람이 많기 때문이다. 사람들은 매일 세상의 온갖 위험에 그대로 노출된 채 살고 있는 것과 다름없다.

조선시대에 어떤 이가 과거에 응시했다. 자신의 합격 여부가 궁금했던 그는, 발표 날까지 기다리지 못한 채 당시 사물과 세상을 읽는 눈이 특별하다고 소문이 난 사람을 찾아가 자신이 지은 글을 보여주었다. 그러자 그 사람은 먼저 시험 본 장소를 물었다. 당시 과거는 두 곳에서 치러지고 있었다. 두 번째 장소에서 보았다는 말에 그 사람이 말했다.

"축하합니다. 장원으로 급제하겠습니다. 그런데 첫 번째 장소에서 보았더라면 낙방했을 겁니다." 그러고는 답안지 가운데 특별히 잘된 부분을 둥근 점으로 표시를 하고 몇 단어에 밑줄을 쳐서 돌려주었다. 놀랍게도 그 사람의 예언은 그대로 적중했다. 또한 채점관이 둥근 점으로 표시한 부분도 예상과 일치했다. 사람들이 놀라 어찌 알았느냐고 묻자, 그 사람은 태연한 표정으로 이렇게 답했다. "두 곳의 시험을 주관하는 자가 좋아하는 것이 무엇인지를 알았던 것뿐입니다." 이 놀라운 혜안을 지닌 자의 이름은 바로 다산 정약용이다. 그 시대에도 가짜 뉴스가 많았다. 인터넷이 없는 시대라 그 수야 헤아릴 수 없겠지만, 진위를 검색할 수도 없었으므로 사실 여부를 확인하기 힘들었다. 하지만 다산은 당시 수많은 가짜 뉴스와 정보를 분별하며 세상을 정확하게 읽은 사람이었다. 그가 남긴 수많은 위대한 책과 자료가 그 사실을 증명한다. 다산의 방식으로 제대로 세상의 정보를 읽으려면 다음 3가지 과정에 대해 충분한 이해가 필요하다.

처음에는 이렇게 시작한다. "내가 아는 사람이 그러던데.", "만약 그렇다면."이라는 단서는 언제나 우리를 '거짓의 코너'로 몰아간다. 무언가를 옹호하고 이익을 내는 집단에서는 이런 단서를 통해 수많은 거짓 정보를 만들어 낸다. 이익의 크기만큼 거짓의 농도도 짙어진다. 거짓이든 아니든 어떤 정보를 대하면 평소 소신과 성향에 따라 그걸 믿는 사람이 생기고 반감을 갖는 사람이 생긴다. 믿는 사람도 문제고 반감을 갖는 사람도 문제다. 서로 어떤 편을 지지하게 되기 때문이다. 이 단계에서 "만약"이라는 단서를 걷어낼 수 있을 정도로 그 정보에 대해 제대로 알고 있거나, 알기 위한 노력을 한다면 어느 편에도 서지 않을 수 있다. 스스로 충분히 아는 사람은 어떤 편에도 서지 않는다. 물론 "보통 사람이 어떻게 그걸 다 조사하고 진실을 가늠할 수 있나요?"라고 반문할 수도 있다. 그럼 나는 이렇게 묻고 싶다. "진실인지 아닌지 그럼 제대로 알지도 못하는 정보를 왜 그렇게 맹신하나요?" 확인되지 않은 정보 하나를 마음에 담는 것을 내가 살 인생의 방향을 결정하듯 신중해야 한다. 그게 쌓여 일상의 무수히 작은 결정을 내리기 때문이다.

그렇게 그 안에 옴짝달싹 못 하게 갇힌다. "더 나쁜 기업이잖아", "더 나쁜 놈이잖아"라는 표현은 우리를 거짓의 코너에서 빠져나올 수 없게 만든다. 의견은 언제나 극단의 두 갈래로 갈린다. 거짓 정보에 속는 나날을 반복하게 되면 결국 억지 주장을 하는 나를 발견하게 된다. 물론 자신은 인지하지 못한다. 두 그룹에 속한 사람들은 각자 자신이 정한 테두리에 갇혀, 그 밖으로는 한 걸음도 나아가지 못하기 때문이다. 가짜 뉴스에 속는 사람들은 결국 상대가 자신의 생각을 비난하면 상대 진영에 있는 사람들 중 더 나쁜 짓을 한 사람을 골라 다시 공격한다. 그럼 상대는 또 더 나쁜 짓을 한 사람을 찾아 비난한다. "더 나쁜 사람"은 아무리 찾아도 계속 나온다. 사람도 다양하고 분야도 다양하기 때문이다. 나쁘다는 기준도 다르고 원칙도 모두 다르다. 결국 지지를 위한 지지가 될 뿐, 진실에 대한 어떤 결론도 나지 않는다. 변하지 않는 결론은, 가짜 뉴스에 반응하는 죄 없는 사람들을 이용해 인기와 돈을 모으는 사람들은 늘 이익을 얻고, 당하는 사람은 늘 손해를 본다는 사실이다. 다수가 낭비하는 인생을 자산으로 삼아 재산과 지위를 얻는 소수의 방법은 수천년 동안 변하지 않고 내려오고 있다.

제대로 읽는 사람은 읽히지 않는다. 우리가 서로의 이익을 위해 생산한 가짜 뉴스에 속는 이유는 그들에게 읽혔기 때문이다. 도덕은 실천하고 싶지 않지만 정의는 추구하고 싶은 마음, 자신의 인성에 대해서는 돌아보지 않지만 인성이 바른 사람은 응원하고 싶은 마음, 영웅 만들기를 좋아하지만 끌어내리는 것도 좋아하는 사람들의 마음을, 그들은 제대로 이용한다. 하지만 원칙을 몇 개 갖고 있으면 속지 않을 수 있다.

— 방송에 나온다는 것은 유명해지려는 마음이 어딘가에 존재하기 때문이다.

— 책을 내는 이유는 지식을 자랑하려는 마음이 어딘가에 존재하기 때문이다.

— 정치를 한다는 것은 중심에 서려는 욕망이 어딘가에 존재하기 때문이다.

이런 몇 개의 원칙으로 세상을 바라보면 쉽게 속지 않을 수 있다. "진실을 알리기 위해 방송에 나오고 책도 냈으니 얼마나 용기가 대단한가"라는 말은 사실 앞뒤가 잘 맞지 않는다. 주변의 거짓 선동에 흔들리지 않고 정보와 세상의 변화를 관찰하면 저절로 무엇이, 어떻게, 왜 움직이고 있는지 알게 된다.

우리가 중심을 잡아야 하는 이유는, 중심을 잡을 수 없을 정도로 흔들리는 배에서 쏜 화살은 목표한 곳에 정확히 꽂힐 가능성이 낮기 때문이다. 그래서 이순신 장군이 늘 반복해서 훈련한 것이 무엇인가? 마음의 중심을 잡는 공부다. 그런데 사람들은 자꾸 화살만 쏘려고 한다. 몸의 중심이 요동치며 흔들리는 것은 잡지 못한 채 목표한 것만 잡으려고 한다. 이순신 장군이 마음 공부에 대해 쓴《나를 지키며 사는 법》의 내용을 짧게 압축하면 이렇다.

"우리는 세상을 바라보며 관찰하는 '눈의 인간'으로 진화해야 한다. 하지만 그 단계에 도착하기 위해서는 기분에 따라 휩쓸려 요동치는 '감정의 인간'에서 벗어나야 한다. 감정을 잡아야 대상이 선명해진다."

자신을 제어해야 대상을 제대로 볼 수 있다. 흔들리는 상태에서는 무엇도 관찰할 수 없다. 최상의 경지에 오른 인간을 보면, 실로 경탄이 나오지만, 그것은 '눈의 인간'으로 진화한 사람에게만 가능하다. 문해력의 성장을 이끄는 사색과 관찰은 왜 어려운 걸까? 마음 공부가 끝나야 자연을 볼 수 있기 때문이다.

"본다는 것은 세상에서
가장 해내기 어려운 공부다."

지루해도 발견할 때까지
접근하라

1825년 3월, 괴테는 여러 사람들과 식사를 하고 있었다. 그는 다양한 사람이 모인 자리에서 어떤 주제로 이야기 나누기를 즐겼는데 그날 모임의 주제는 〈새 극장 건축과 성장〉이었다. 그와 자리를 함께한 사람들은 각기 자신의 생각을 말했다. "설계도를 보니 아름다운 건물이 될 것 같다", "돈을 절약해야 하니 임금이 낮은 배우를 채용해야 한다", "바이마르에서 극장 운영으로 많은 돈을 벌기 힘드니 재정 문제 해결이 먼저다" 등의 의견이 주를 이루었다. 당시 독일은 문화 선진국이 아니었다. 게다가 파리처럼 재정적으로 넉넉한 상태에서 극장을 운영하기 어려운 현실을 감안하면 제각각 일리가 있는 의견이었다. 이를 지켜보던 괴테는 매우 강한 어조로 "나도 잘 알고 있어요"라고 말한 후 몇 가지 조언을 했다. 나는 그의 조언을 이렇게 4단계로 나눠서 이해했다. 어떤 사건과 이야기를 들을 때 바로 이해가 되지 않으면, 이렇게 기준을 세운 후 분리해서 생각해 보면 더 이해하기 쉽고 다양한 각도로 이야기를 설계할 수도 있어 좋다.

현실이 아닌 중심은 어디에 있나? 현실은 우리가 살아갈 공간이지 추구할 원칙은 아니다. 현실이라는 공간에 얽매여 살면 '돈을 절약해야 한다'라는 시선에서 모든 문제를 바라보게 된다. 하지만 괴테는 추구할 원칙의 시선으로 현실을 바라보았다. 그리고 이런 의견을 냈다. "돈을 절약한다는 이유로 임금이 싼 배우를 고용하는 건, 오히려 재정을 더욱 악화하는 나쁜 선택이다" 현실의 문제에서 벗어나, 중심을 정확하게 바라본 것이다.

사소한 것에 의해 가려진 가치는 어디에 있나? 중심을 바라본 사람은 무엇이 더 중요한 일인지 깨닫게 된다. 돈을 아끼는 것은 사소한 일이며, 필요한 부분에 투자하는 것이 바로 중요한 일이라는 사실을 짐작한 괴테는 "세상에 필수적인 비용을 절약하겠다고 나서는 것보다 더 재정에 해로운 일은 없다"라는, 다른 사람과는 전혀 다른 그러나 핵심을 꿰뚫어 보는 의견을 냈다.

나는 무엇을 추구해야 하나? 현실을 바꾸려면 추구하는 지점을 바꿔야 한다. 괴테는 그런 관점에서 "이제 생각을 바꿔 배우가 아닌 관객을 생각하라. 돈을 아끼려는 생각보다는 매일 저녁 극장을 관객으로 가득 채울 방법을 강구해야 한다"라며 현실적으로 이뤄야 할 목표를 발견할 수 있는 주문을 했다.

이제 내게 필요한 것은 무엇인가? 그러자 극장을 살릴 좋은 방안이 나오기 시작했다. "젊은 남녀 가수 한 사람과 유능한 주연급 남자 배우 한 사람, 뛰어난 재능과 상당한 미모를 갖춘 주연급 젊은 여배우 한 사람이 있으면 크게 도움이 될 것이다" 문해력이 높은 사람은 언제나 문제의 본질에 접근해서 가능성의 폭을 넓힌다.

괴테의 말은 여기에서 멈추지 않았다. 극단 사람들을 끈질기게 괴롭히던 재정 부담에서 벗어나 눈에 보이는 미래를 분명히 보여줄 때가 되었다. 그는 사람들에게 숫자를 보여주며 구체적 방안을 내놓았다.

"일요일에도 공연을 하게 합시다. 그럼 적게 잡아도 1년에 1만에서 1만 5,000달러의 수입은 올릴 수 있습니다" 괴테가 희망과 미래를 보여주자 곁에 있는 사람들은 이렇게 의견을 보탰다. "대부분의 노동자들은 평일에는 밤늦게까지 일하고 일요일에만 쉴 수 있는데, 일요일에도 공연을 하면 그들이 술이나 춤으로 보내는 시간을 고상한 취미를 누리는 데 투자할 수 있게 될 겁니다.", "바이마르 부근의 작은 도시에 사는 모든 임차인과 지주 그리고 공무원과 부유층 사람들은 바이마르 극장으로 마차를 타고 갈 생각에 일요일을 손꼽아 기다리겠죠." 괴테의 말이 사람들에게 미친 영향을 보며, 우리는 정말 많은 것을 얻고 배울 수 있다. "왜 사람의 의식 수준은 쉽게 올라가지 않는가?", "어떻게 하면 수준을 높일 수 있는가?", "문해력 수준이란 무엇을 의미하는 걸까?", "무엇이든 잘하는 사람에게는 어떤 비결이 숨어 있을까?" 이 모든 질문에 대한 답을 괴테의 글에서 발견할 수 있다. 덕분에 일요일에도 극장을 열자는 괴테의 제안은 전폭적인 지지를 받으며 환영받았고, 곧바로 현실을 바꿀 매우 구체적인 해법까지 나왔다. 이를 간단하게 정리하면 이렇다.

— 연극이든 오페라든 몇 해에 걸쳐 어느 정도 성공을 거두리라고 분명하게 예상되지 않는 작품이라면 결코 연습시켜서는 안 된다.
— 아무리 짧은 오페라나 연극이라도 그것을 연습하는 데 얼마나 많은 힘이 드는지를 제대로 알아야 한다. 배우가 맡은 배역을 완전히 소화하려면 생각보다 더 많은 노력이 든다는 사실을 알려야 한다.
— 어떤 오페라의 성공 여부에 대해 아무 예측도 하지 못하면서 몇몇 불확실한 신문 기사만을 믿고 경솔하게 연습 명령을 내리는 사람들이 있다. 섬뜩한 일이다. 투자자와 단장은 스스로 상황을 파악하고 분석해 결정을 내려야 한다.

괴테의 이런 분석은 당시 독일 문화계가 처한 현실에서 나온 것이라 더욱 귀 기울여야 할 조언이었다. 그가 판단하기에 이탈리아나 파리의 시민들은 스스로를 교양 있다고 여겨 위대한 작가들의 고전 작품을 자주 보면서 대사를 전부 달달 외울 뿐만 아니라 각 음절의 억양까지 섬세하게 구별하는 귀를 가지게 되었다. 반면 독일 관객들의 반응은 달랐다. 괴테는 그 현상을 충분히 이해할 수 있다며, 그 이유에 대해 이렇게 분석했다.

"독일의 배우들은 작품을 연기하는 데 익숙하지 않고, 관객들은 좋은 작품에 귀를 기울이는 데 익숙하지 않기에 일어난 현상이다. 배우들이 자주 반복적으로 연습하여 자신들의 역을 충분히 익혔다면, 공연은 힘들여 짜내는 식이 아니라 그 모든 것이 가슴에서 우러나오는 듯 생기가 있었을 것이다. 그럼 관객들도 흥미를 느껴 환호성을 지르며 관람을 했을 것이다."

괴테의 글을 읽으며 우리는 현실의 풀리지 않는 문제를 현명하게 풀어가는 과정에 대해 배울 수 있다. 그는 지금 현실에서 어떤 일이 일어나든 그 문제를 풀기 위해서 집중하는 사람만이 답을 발견할 수 있다고 생각했다. 다만 괴테가 그랬던 것처럼 일련의 과정을 거쳐야 하는데, 끝까지 가려면 지루함을 견디는 힘이 필요하다. 지겹다는 생각을 버리고, "지금 여기에 뭔가 있다!"라는 생각으로 접근하라.

열 번 질문할 수 있다면, 열 번 다른 답을 발견할 수 있다.

인생이 꼬였다면
읽기로 풀어라

파리에 가면 거의 모든 관광객이 루브르 박물관에 꼭 가고, 루브르 박물관에 가면 모나리자는 꼭 감상하고 온다. 물론 다른 전시실에도 사람이 많지만 유독 모나리자가 놓여 있는 전시실에는 움직이기 힘들 정도로 사람이 가득 들어차 있다. 적어도 30분에서 1시간 넘게 줄을 서야 모나리자가 얼핏 보이는 공간까지 발을 들일 수 있고, 관계자가 손짓을 하면 2, 30명의 관람객이 동시에 모나리자 그림 5m 정도 앞에 서서 스마트폰으로 사진을 찍는다. 그것은 마치 기계로 같은 모양의 과자를 찍어 내는 과정을 닮았다. 왜 우리는 같은 장소에 있는 같은 작품에만 열광적인 반응을 보이는 걸까?

물론 유럽에 가면 그 넓은 박물관에 있는 모든 전시를 다 볼 수는 없다. 보통은 모두가 유명하다고 말하는 것들 몇 개만 골라보다 나올 뿐이다. 그것을 우리는 과연 봤다고 말할 수 있을까? 우리는 보고 느끼고 무언가를 생각한 걸까 아니면 단순하게 그 작품 앞에 서 있는 나를 사진으로 남긴 것일까?

모나리자의 경우만 그런 것일까? 책은 어떤 방식으로 선택해서 어떤 방법으로 읽고 있는가? 철저하게 자기 기준으로 책을 선택한 후, 한 권을 처음부터 끝까지 제대로 읽은 사람은 많지 않다. 여기에서 내가 말하는 '제대로'는 요약본을 읽거나 참고하지 않고, 다른 사람 의견에 휘둘리지 않고 오직 자신만의 눈과 생각으로만 읽는 것을 말한다.

온갖 교양과 지식을 간단하게 정리해서 엮어낸 책은 언제나 베스트셀러를 차지한다. 구성상 약간의 변주變奏만 있을 뿐 안에 녹아 있는 내용은 다르지 않다. 그런 책을 아무리 읽어도 우리 삶에 변화가 느껴지지 않는 이유는, 책은 변화를 위해 읽는 것이 아니기 때문이 아니라, 스스로 얻은 지식이 아니라면 그 어떤 것도 자신에게 주입할 수 없고, 아무리 강제로 주입해도 자신의 무기가 될 수 없기 때문이다. 우리가 모나리자를 아무리 바라봐도 어떤 느낌과 영감을 얻지 못하는 것처럼 말이다. 예술 작품이든 책과 영화든, 과거와 비교해 요즘에는 더 많은 것을 보고 듣고 느낄수 있다. 하지만 보고 스치는 버릇과 태도가, 아무리 좋은 것을 봐도 좋은 느낌을 남기지 못하게 만든다.

나는 2008년부터 '1년에 1권 읽기'를 반복하며 텍스트와 이미지를 제대로 보고 듣고 느끼는 방법에 관해 연구하기 시작했다. 10년 동안 정확하게 10권의 책만 읽었지만 과거 10년 동안 1,000권 넘게 책을 읽었을 때보다 스스로 느끼기에도 의식 수준이 확연하게 달라졌다. 오히려 10년에 1,000권을 읽으며 책을 쓰던 시기에는 독자의 마음을 사로잡을 문장을 책에 담지 못했지만, 10년에 10권 읽기를 시작한 이후에는 이전과는 전혀 다른 글을 쓰며 내는 책마다 분에 넘치는 사랑과 애정을 받고 있다.

많은 책을 읽는 것보다 좋은 책을 읽는 게 중요하고, 좋은 책을 선택하는 것보다 제대로 읽는 게 중요하다. 1년에 1권 읽는 삶을 그림 감상에 비유하면, 파리 루브르 박물관에 가서 1년 내내 모나리자 그림만 바라보며 사는 것과 같다. 하나만 계속해서 바라보면 인간은 저절로 진화한다. 보이지 않는 부분을 상상하고 추론하며, 서로 맞지 않는 부분을 자르고 문질러 기어이 완벽한 하나로 연결하기 때문이다. 그 과정에서 우리는 높은 문해력의 성취를 위해 필요한 모든 재료인 관찰, 유추, 감정이입, 질문, 변형, 통합 등 귀한 것을 스스로 깨치게 된다. 많은 것을 본다는 것은 집중할 하나를 찾지 못했다는 증거다. 또한, 하나를 찾지 못했다는 것은 그 안에 숨은 가치를 발견할 안목이 없다는 사실을 증명한다. 서두르지 말고 하나를 오랫동안 보라. 그 시간과 정성은 결코 당신을 외면하지 않고 문해력이라는 선물을 줄 것이다.

《 2장 》

가짜 사이에서 살아남으려면

: 문해력은 결국 사는 힘이다

대문호조차
평생을 바친 일

세계적인 대문호 괴테를 키운 힘은, 당시 독일의 문화 수준을 몇 단계 끌어올리겠다는 그의 다짐 안에 있다. 18세기 중반 독일의 문화 수준은 주변 유럽 국가에 비해 현저히 낮은 편이었다. "그 나라에 사는 국민의 언어 수준이 곧 그 나라의 수준이다"라는 사실을 누구보다 잘 알고 있던 괴테는, 미래가 보장된 변호사를 그만두고 언어를 보다 전문적으로 다룰 수 있는 작가로 살아가는 길을 선택했다. 부모의 만류와 지인들의 회유가 있었지만 그의 생각은 분명했다.

"나는 독일 국민의 문화 수준을 높이고 싶다. 이를 위해서 먼저 사람들이 읽기에 좋은 책을 내서 우리 언어 수준부터 끌어올려야 한다."

괴테의 강렬한 의지가 없었다면, 그가 〈파우스트Faust〉를 무려

60년이나 걸려 완성할 수는 없었을 것이다. 중간에 몇 번이나 그만두고 싶다는 생각을 했지만, 이 작품의 완성이 독일 문화의 토대가 될 거란 희망 하나로 자신의 모든 것을 바쳐 결국 죽기 바로 직전에서야 완성할 수 있었다. 〈파우스트〉를 완성하기 1년 전에 그는 깊은 병에 걸려 의사조차 가족들에게 마지막을 준비해야 한다고 이야기했을 정도로 상태가 심각했지만, 이렇게 외치며 병을 몰아냈다.

"인간이 태어나 여전히 자신이 해야 할 일이 남아 있다면, 죽음에게 물러나라고 외칠 수 있어야 한다."

이 외침 덕분인지는 몰라도 실제로 병을 물리친 그는 1년 정도를 더 들여 〈파우스트〉를 무사히 마칠 수 있었다. 그의 손끝에서 이러한 대작이 나온 이유는, 그의 가슴 안에 커다란 뜻이 녹아 있었기 때문이다.

19세기 중반에 활동한 톨스토이 역시 마찬가지였다. 괴테처럼 그도 청년 시절부터 농노 해방을 위해 힘을 쏟았다. 하지만 그의 생각은 좀처럼 실현되기 어려운 현실이었다. 이런 상황을 안타깝게 생각하던 톨스토이는, 당시로선 상당히 파격적인 결정을 내리게 된다. 자신의 뜻을 이해하지 못하는 가족과 말다툼을 한 뒤, 자기 집에서 일하던 농노들을 전부 불러 모아, 그 자리에서 자유를 줄 생각이라고 말한 것이다. 그는 희망에 가득 찬 목소리로 이렇게 외쳤다.

"3년간 부부 한 쌍마다 매년 은으로 26루블어치를 징수하되, 그 이후에는 토지를 온전히 여러분이 소유할 수 있도록 하겠소."

톨스토이는 좋은 제안이라고 생각했지만 놀랍게도 농노들은 이 제안을 거부했다. 이유는 간단했다. 곧 황제가 대관식에서 칙령을 발표할 것이고, 그럼 황제가 자기들에게 토지를 분배하여 농노를 해방시킬 것이라고 굳게 믿고 있었기 때문이다. 톨스토이는 이런 상황에 더욱 절망했다. 현실을 제대로 해석할 안목이 없으니 농노들은 자신에게 굴러 들어온 좋은 제안도 거절하고 헛된 희망을 품고 있었다. 이들을 위한 언어 교육이 필요하다고 생각한 그는 마음을 더욱 굳건히 하고 그간 생각해 온 일들을 실천에 옮기기 시작했다.

— 군대에서 글을 모르는 병사들의 편지를 대신 써주기도 했던 그는 고향 가까운 곳에 학교를 세워 주민들에게 언어를 가르쳐야 한다고 생각했다.

— 유럽 사회 지배 계층의 속물 근성을 잘 알고 있던 그는 순박한 농민들이 더는 그들의 거짓 놀음에 속지 않을 수 있게 반드시 교육을 해야 한다고 생각했다.

— 누구나 읽기 쉬운 교과서를 스스로 만들었고, 아이들에게 읽기와 쓰기를 가르치며 언어의 중요성을 어릴 때부터 깨우치게 했다.

결국 그는 농민들이 처참한 인생을 사는 이유가, 자신이 왜 그렇게 사는지 모르기 때문이며, 그런 현실적인 질문이 없으니 스스로 벗어날 방법을 강구하지 못한다고 생각했다. 그래서 그는 〈모든 신문 발행인에게〉라는 제목의 공개서한을 발표하며 황후의 금일봉을 비롯해 188루블이 넘는 후원금을 모아 농민의 언어 수준을 끌어올리는 데 모두 사용했다.

"진리란 금과 같아서 불려서 얻어지는 것이 아니라, 금이 아닌 것을 모두 씻어 냄으로써 얻어진다."

톨스토이가 남긴 이 말은 그가 평생 강조한 문해력의 가치를 극명하게 보여준다. 세상의 흐름과 돌아가는 상황 혹은 사건의 본질에 대해 알고 싶다면 중요 내용이 아닌 다른 것들을 걷어내고 진짜 중심을 바라볼 수 있어야 한다. 그래야 온갖 가짜와 혼란에서 벗어나 세상을 관조하듯 자유로이 살 수 있다.

그게 바로 진짜 문해력이다.

"중심을 볼 줄 알아야
가짜와 혼란에서 벗어날 수 있다."

결론보다 모색이다

~~~~~~

한 아이가 동네에서 친구들 몇 명을 모아 경주를 시작했다. 체구가 작고 다리가 느린 아이는 조금씩 처지기 시작하더니 10초 정도가 지나자 이세는 따라잡을 수 없을 정도로 멀어져 버렸다. 그러자 지친 아이는 더는 버틸 수 없다는 표정으로 이렇게 외친다. "앞에 가는 놈은 도둑놈!" 순간 그 모습을 지켜보던 주변 사람들이 앞으로 뛰어가는 아이들을 일제히 바라본다. 그 시선은 곱지 않을 가능성이 농후하다. 시선을 느낀 아이들은 조금씩 속력을 줄이고 결국 뒤를 돌아보며 그 자리에 선다. 반면 아까 앞에 가는 놈은 도둑놈이라고 소리친 아이는 계속 뛰어서 격차를 줄인다.

자신이 가진 것을 부정하면 아무것도 이룰 수 없다. "나는 체격이 작으니까 불리해, 그러니 이 정도 편법은 정당해"라는 생각은 옳지 않다. 모든 사람이 같은 자리에서 같은 체격의 몸으로 인생을 시작할 수는 없다. 게다가 체격이 작은 것은 민첩하게 움직일 수 있다는 장점이 될 수도 있다. 그게 바로 자신을 제대로 바라보며 장점을 발견하는 자의 시선이다. 사람마다 짊어진 짐의 무게도, 다리 길이와 뛰는 능력도 제각각이다. 그걸 바꿀 수 있는 사람은 없다. 오히려 자신에게 없는 부분이 아닌 갖고 있는 것들을 하나하나 발견해서 알아가야 한다. 작가도 마찬가지다. 독자보다 좋은 환경에서 인생을 시작한 사람도, 운이 좋아서 남들보다 조금 빠르게 그 자리에 도착한 사람도 있을 것이다. 하지만 그렇게 비교하려는 마음은 시작부터 스스로를 망치는 행위다. 그런 시선으로는 아무것도 배울 수 없다.

게다가 같은 자리에서 달리기를 시작하는 게 꼭 좋은 것만은 아니다. 생각을 바꾸면 다른 경기장을 찾아 혼자 뛸 방법을 찾아낼 수 있다. 다른 경기장을 찾지 않더라도 반대로 뛰거나 사선으로 뛰는 방법을 찾을 수도 있다. 세상은 모두에게 같은 선을 따라 같은 방향으로 뛰라고 강요한 적이 없다. 그렇게 시선을 자유자재로 바꿔야 남과 똑같이 보이는 것을 다르게 변주할 수 있다. 독해도 마찬가지다. 같은 글이 주어져도 그걸 받아들이는 사람의 시선에 따라 활자 하나하나가 다른 모습으로 변신할 수 있다. 같은 책을 읽어도 읽는 사람에 따라 전혀 다른 것을 발견하며, 그 차이가 곧 성장의 격차로 이어지는 것도 같은 이치다.

성장의 격차는 목적지까지 가기 위한 과정의 깊이가 결정한다. 결국 탐색이 관건이다. 늘 하던 방식과 다른 방식을 모색해 보면 스스로 그 결과에 놀라게 될 가능성이 높다. 전보다 나은 결과가 나올 가능성을 높여 이전과는 완전히 다른 경험을 할 수도 있다. "좋은 환경을 이겨낼 방법이 없을까?", "운도 내가 만들어 낼 수 있지 않을까?" 이런 시선으로 바라보며 관찰해야 더 나은 방법을 발견할 수 있다. 그것이 바로 내가 추구하는 바이다.

"앞에 가는 놈은 도둑놈!"이라고 외치는 행위는 서로에게 아무런 도움이 되지 않는다. 관점을 바꿔서 생각하면 무리 뒤에서 뛰는 사람은 앞서 가는 사람의 경쟁력이 뭔지 자세하게 관찰할 수 있다. 그건 돈을 주고도 살 수 없는 살아 있는 교육이다. 그러므로 뒤에서 뛰고 있다고 해서 실패자가 아니다. 뒤에서 뛰는 사람이 실패지가 아니라, 여러 방향을 모색해 보고 생각의 전환을 이루지 못하는 자가 실패자다. 어디에 있든 그 공간에서 누군가를 관찰하며 성장 동력을 발견하는 자는 그 시간을 창조적으로 일궈내는 멋진 투자자다. 세상이 아닌 자신을 바꾸려는 일상의 시도를 반복하는 것이 중요하다.

텔레비전에서 나오는 모든 것은 자본을 중심으로 돌아간다. 세상의 모든 욕구를 더한 물체가 텔레비전이라고 생각한다면, 결국 우리는 돈을 많이 가진 사람이 원하는 세상을 화면으로 바라보며 세뇌당하고 있는 셈이다. 그렇지만 나는 그런 구조가 바뀌기를 기다리거나 변화를 촉구하지는 않는다. 세상은 결코 쉽게

2장. 가짜 사이에서 살아남으려면

바뀌지 않으므로 가장 현명한 방법은 텔레비전을 바꾸는 게 아니라, 화면을 바라보는 나의 정신과 마음 상태를 바꾸는 것이다. 그게 쉽고, 빠르다.

우리가 모색하지 않고 사는 이유 중 하나는 결과에만 신경을 쓰기 때문이다. 소비와 투기, 비난과 허영으로 가득한 세상과 맞설 수 있는 자기만의 메시지를 가슴에 품고 일상을 보내야 한다.

내가 평소 추구하는 메시지는 "글쓰기 능력은 세상이 내게 준 선물이니, 꼭 세상을 위해서 써야 한다"라는 말이다. 이를 사색훈 思索訓이라 하고 평생을 메시지로 새겼다. 이처럼 당신도 스스로를 위한 메시지를 찾아라. 그 메시지가 당신을 결론만 추구하는 삶을 살지 않도록 도울 것이다. 다시 말해, 당신이 원하는 진짜 인생을 살게 해줄 것이다. 그 길로 가기 위해 잠시 방황할 수도 있다. 하지만 기억하자. 고뇌하는 자는 열망하고, 열망하는 자는 방황한다. 세상의 모든 방황은 아름답다. 더 나은 날을 위해 고뇌한다는 증거이기 때문이다.

알아도 모두가
실천하지 못하는 이유

여러분은 사색이 무엇이라고 생각하는가? 지금까지 한 번도 생각해 본 적 없다면, 지금이라도 시간을 내서 스스로 답을 내 보자. 잠시 책 읽기를 멈추자. 위에 내가 질문한 사색에 관해 생각해 봤는가? 아니면 그대로 계속 글을 읽어가며 내가 생각한 답을 찾아 읽으려고 했는가?

생각은 실로 어려운 일이다. 그러나 일상 곳곳에 숨어 있는 질문에 대해 그때그때 멈춰서 자신만의 답을 구하는 행위를 반복적으로 하다 보면 문해력이 깊어지고 풍부해진다. 일상이 내게 던지는 질문에 나름의 답을 낸다는 것은, 자신이 흘려보냈던 일상을 기억 저장소에 그대로 생생하게 담는 것과 같다. 누구나 어떤 상황에서 새롭게 나온 문제를 풀기 위해서 가장 먼저 하는 것이 전에 겪었던 유사한 경험을 떠올리는 일인데, 대부분 이를 아무것도 남겨 두지 않아서 제때에 사용하지 못하기 일쑤다.

하나의 질문에 답을 낼 줄 알면 앞으로 살아갈 최고의 무기 하나를 손에 쥐는 것과 같다. 그러나 여전히 아는 것과 실천하는 것이 일치하지 않는 사람이 많다.

내가 일상에서 실천하는 것들을 글로 써서 공개할 때마다 가장 자주 듣는 말과 글은 이것이다.

"작가님은 모두가 알고 있지만, 실천하기 쉽지 않은 것을 실천하시네요."

이유가 뭘까? 먼저 본질이 될 문장을 공개한다.

"실천하지 않는다는 것은 제대로 알지 못해서이다."

그래서 안다는 것과 실천하지 않는다는 것은 한 문장에서 함께 나올 수 없다. 그것의 가치를 아는 사람은 실천하지 않을 수가 없기 때문이다. 내가 무언가를 알고 그것을 실천할 수 있는 건 모두 문해력 덕분이다. 내 삶에 도움이 될 만한 것을 발견하면 나는 끊임없이 그것을 바라보며 가치를 발견하려고 노력한다. 그게 바로 내가 대상을 알게 되는 과정이다. 하루 4시간 사색을 하는 이유도 마찬가지다. 하루 4시간 사색의 필요성을 안다고 해서 그것을 실천하는 것은 다른 문제다. 하루 4시간 사색으로 자신이 원하는 것을 이룬 사람들의 삶을 끊임없이 관찰하고 그들이 사용한 방법과 삶의 태도를 반복해서 연구하다 보면, 4시간 사색의 위대한 가치를 발견하게 된다. 그 가치를 앎과 동시에 강력한 의지로 그것을 실천하게 된다. 세상의 모든 가치는 스스로 자신을 드러내지 않는다. 그것들은 대개 바라보는 이가 스스로 발견해야 가질 수 있다. 대상의 가치와 존재의 이유를 해독할 수 있어야 그 가치를 가지려는 마음에 시동을 걸 수 있다. 아무리 모든 것을 봐도 아무것도 볼 수 없는 무력한 삶을 살고 싶지 않다면, 이 세상의 모든 가치 앞에 놓이기 전에 문해력을 가장 먼저 가져야 한다.

미움과 분노, 슬픔에서 헤어나지 못하면 아무리 천재적 능력을 가진 사람이라도 세상에 아무것도 보여줄 수가 없다. 이런 감정이 향하고 있는 곳이 어디인가도 중요하다. 보통 이런 미움과 분노, 슬픔은 타인을 향한다고 생각하겠지만 정작 자신을 향할 때가 많다. 자기 비난, 자책, 무너지는 자존감 등이 그 사람의 모든 삶을 망치고 종국에는 타인과 세상을 향해 밖으로 향한다. 이유는 간단하다. 이미 내면은 모두 파괴해서 남아 있는 것이 없어서다. 그들은 매일 어떤 전쟁보다 참혹한 전투를 자신과 벌이고 있다. 문제는 다들 멀쩡하게 살고 있는 것 같지만, 실은 정말 많은 사람이 그렇게 스스로를 공격하며 살고 있다.

가장 빛나며 아름다운 대화는 상대의 말을 들으며 그의 빛나는 부분을 발견한 후 나의 좋은 마음에 연결해서, 그것이 필요한 세상 누군가에게 선물하려는 마음으로 끝나는 대화다. 대상이 자연이든 사물이든 사람이든 마찬가지다. 우리는 살아 있지 않다고 생각하는 대상과도 충분히 대화로 마음을 나눌 수 있다. 하지만 실제로 그게 어려운 이유는 각자 자신을 공격하며 타인과 주변을 핏발 선 눈으로 바라보는 사람들이 모여 대화를 나누기 때문이다. 그런 대화의 끝은 굳이 글로 쓸 필요도 없이 최악이다.

　높은 문해력의 시작은 대화다. 앞서 말한 자연과 사물 그리고 사람과의 대화를 통해 우리는 각자의 것을 유기적으로 연결해서 세상에 선물로 내놓을 수 있다. 하지만 자신을 향한 비난과 자책, 사라지지 않는 슬픔으로 가득한 사람들은 아무리 책을 읽고 근사한 사람을 만나도 그걸 자신의 좋은 것과 연결하지 못한다. 세상을 바라보는 안목이 없는 이유는 이미 눈이 충혈된 상태이기 때문이며, 읽고 배운 것을 자신의 것으로 만들지 못하는 이유는 그것을 넣고 보관하는 내면이 폐허가 된 상태이기 때문이다. 전쟁과 평화는 한 무대에 동시에 오를 수 없다. 모든 지적인 일상을 시작하기 전에 자신을 망치며 공격하는 삶을 멈춰야 한다. 비정상적인 일상에서 벗어나야 원하는 것을 얻을 수 있다.

"단어를 향한 태도를 바꾸면
일상을 바꿀 수 있다."

모든 해석은
나에게서 시작한다

뉴턴은 '만유인력의 법칙laws of gravity'을 '창조'한 것이 아니다. 문해력의 관점에서 이 부분은 상당히 중요하다. 그는 누구나 보지만 아무도 찾지 못한 것을 '발견'한 사람이다. 다시 세부적으로 살펴보자. 이 발견에는 자신으로부터 시작한 무수한 질문이 있었다. "사과는 왜 흔들릴까?", "바람은 왜 부는 걸까?", "왜 어떤 사과는 땅에 떨어지고 어떤 사과는 떨어지지 않을까?" 무수한 질문이 이어져 그는 마침내 사과가 땅에 떨어지는 이유를 발견하게 되었다. 결코, 불현듯 찾아온 영감이나, 천재적인 감각으로 찾아낸 것이 아니라, 일상에서 멈추지 않고 "왜 그럴까?"라는 질문을 반복하면서 데이터를 차곡차곡 쌓아 서로 다른 요인들을 비교하며 찾아낸 것이다. 타인이 아닌 자신에게서 나온 질문이었기에 그 위력은 더욱더 막강했다.

2장. 가짜 사이에서 살아남으려면

바이마르의 대공비는 언제나 "바이마르의 문화 수준을 높이려면 어떻게 해야 할까?"라는 고민을 했다. 그 마음이 간절했던 그녀는 하루는 이런 의견을 내기도 했다.

"독일에서 가장 뛰어난 재능을 가진 작가가 직책과 재산도 없이 자신의 재능만으로 생계를 유지해야 하는 상황에 놓여 있다면 그를 바이마르로 불러 지원을 해주고 창작에만 몰두하게 하는 게 어떨까?"

대공비의 뜻은 분명했고 누구라도 그녀의 생각에 이견을 제시할 순 없었을 것이다. 탁월한 재능을 가진 작가가 아무 걱정 없이 오직 자신이 구상하는 작품을 완성시키기 위해 시간을 쓴다면, 서둘러 작업하지 않아도 되니 그로 인해 완성도가 높은 작품이 탄생해 바이마르의 문화 수준이 더욱 높아질 거라고 생각한 것이다. 대공비의 뜻을 전해 들은 괴테는 이렇게 자신의 생각을 밝혔다.

"대공비의 뜻은 진실로 군주답네. 그녀의 고귀한 뜻에 머리를 숙일 수밖에 없을 거야. 하지만 그게 쉬운 일은 아니야. 우리 시대의 가장 뛰어난 재능을 가진 사람들은 이미 나라에 봉직하거나, 충분한 연금을 받고 있어, 그런 상황이 아니더라도 뛰어난 재능으로 벌어들인 자신의 재산으로 이미 아무 걱정 없는 상태로 살고 있으니까."

"나라면 어떻게 할까?"라는 질문이 보다 현실적인 해석을 가능하게 한다. 대공비의 생각은 좋았지만 그것은 어디까지나 이상에 그칠 수밖에 없다. 우리는 일상에서 이런 비슷한 상황을 자주 겪는다. 주로 '싸고 좋은 걸 고를 때'다. 회사에서 외주로 일을 맡길 때도 마찬가지다. 능력은 뛰어나지만 일이 없어서 시간이 많은 사람에게 외주를 주려고 한다. 말의 앞뒤가 전혀 맞지 않는 요구다. 실력이 뛰어난 사람은 시간이 많을 수 없다. 그들은 예약을 받아 일을 할 정도로 바쁘다. 게다가 돈도 충분히 벌어 평균 시세보나 더 비싼 비용을 받고자 하지 저렴하게 받을 이유가 없다.

그래서 "나라면 어떻게 할까?"라는 질문이 필요하다. 능력이 뛰어난 사람과 그 사람을 고용하는 사람, 두 시선에서 질문을 던져 보면 답이 분명해진다. 내가 능력이 뛰어난 사람이라면 들어오는 제안 중 가장 마음에 드는 제안을 고를 것이다. 그런 사람은 아마 물질적으로 평균 수준보다 높은 제안을 할 테고 그런 제안이 많이 들어와 내일을 걱정하지 않고 살 것이다. 반대로 능력이 뛰어난 사람을 구하는 기업의 책임자라면 돈은 얼마든지 줄 수 있으니 어떻게든 모셔 가려고 갖은 방법을 다 써볼 것이다. 뛰어난 사람은 세상이 가만두지 않는다. 그래서 괴테는 늘 이렇게 말했다.

"나는 전체를 생각하며 글을 쓰지 않는다. 모든 것은 내게서 시작한다. 각자가 자신의 행복을 위해 살면 결국 전체가 행복해지는 거다. 아버지는 자기 집을, 자영업자는 자신의 고객을, 성직

자는 이웃간의 사랑을 돌보고, 경찰은 시민의 기쁨을 방해하지 말아야 한다."

해석이 보다 현실적으로 나오려면 글을 읽을 때 자기 자신에게서 시작해야 한다. 그래야 비로소 자신의 현실을 바꿀 좋은 방법을 생각할 수 있다.

원하는 말과 팔리는 말의
순서를 정하라

살다 보면 반드시 조언이 필요한 순간이 있다. 상대가 소중한 존재일수록 조언은 더욱 섬세하게 이루어져야 괜한 오해를 사지 않는다. 이런 가정을 해 보자. 만약 상대가 자꾸 자기 일은 소홀히 대하며 다른 사람 하는 일만 기웃거리며 산다면, 어떤 말을 들려주고 싶을까? 세상에 쉬운 일은 없으며, 자신의 일에서 먼저 최선을 다해 이기든 지든 승부를 보려는 자세의 중요성을 전하고 싶을 것이다. 그러나 그 마음을 액면 그대로 전하면 십중팔구 다투게 된다.

꽉 막히는 도로에서 운전을 하며 어딘가로 가는 상황을 가정해 보자. 이 상황에 전하려는 메시지를 연결해서 마음을 전하면 어떨까?

혼잡한 도로에서는 잠시만 천천히 가도 앞에 공간이 생기지

075
•

만, 이내 양옆에서 차선을 바꿔 들어선 차로 그 공간은 다시 채워진다. 그들이 차선을 바꾼 이유는 내가 있는 도로에 순간적으로 공간이 생기니 "여기가 뚫리는 차선이구나"라는 생각이 들어서다. 그러나 그들은 이내 다시 원래 있던 차선으로 돌아간다. 그들 생각처럼 '뚫리는 차선'이 아니라는 판단을 해서다. 인생도 마찬가지다. 내가 늘 카페에서 여유롭게 글을 쓰며 커피를 마시는 모습을 보여주고, 다들 일할 때 유럽으로 떠나 사색을 즐기는 모습을 보여주면, 사람들은 마치 꽉 막힌 자신의 차선에서 일시적으로 뚫리는 것처럼 보이는 곳으로 차선을 옮기는 것처럼 "나도 글이나 써볼까?"라며 생각의 차선을 이동하려고 한다. 그러고는 글을 쓰며 사는 삶을 얼마간 살다 다시 원래의 삶으로 돌아간다. 그리고 깨닫는다. "세상 어디를 가도, 마음처럼 뚫리는 삶의 차선은 없구나."

설득은 매우 애매한 단어다. 세상을 살면서 누군가를 설득하지 않고 살 수는 없지만, 사실 아무리 그럴 상황이라도 누군가에게 설득당하는 것을 좋아하는 사람은 별로 없다. 그럴 때 문해력은 우리에게 이런 선물을 준다. 상대를 설득했지만 정작 상대는 설득당한 게 아니라고 느끼고, 상대의 태도를 바꾸게 했지만 상대 스스로 그것을 선택했다고 느끼는 것, 바로 그것이다. 그래서 문해력이 높은 사람들은 관계에서 문제가 별로 생기지 않는다.

그 능력을 가지기 위해서 필요한 것이 바로 '팔리는 표현'에 대한 높은 이해력이다. 세상의 '니즈needs'를 찾아야 팔리는 무언가를 창조할 수 있다. 그런데 왜 많은 사람이 창조에 성공하지 못하거나, 창조는 했지만 팔리지 않는 것만 만들게 되는 걸까? 이유는 간단하다. 니즈 이전에 먼저 확실히 해둬야 할 게 하나 있다. 바로 '원츠wants', 즉 자신이 무엇을 원하는지 그것을 명확하게 아는 것이다. 세상에 필요한 것을 제공하기 위해서는 자신이 무엇을 원하는지를 먼저 알아야 한다. 많은 사람이 자신이 무엇을 원하고 있는지 제대로 알지 못한 채 세상의 니즈만 찾으려고 한다. 그것은 마치 자신의 인생 목표가 없는 사람이 타인의 인생 목표를 찾아주겠다며 컨설팅을 하는 것과 마찬가지다. 인터넷 검색을 할 때도 마찬가지다. 자신이 어떤 정보를 원하고 있는지 명확하게 설정하지 않고 무작정 검색만 하면 당연히 원하는 정보가 나오지 않는다. 원하는 방향을 잡지 못하면 그 사람에게는 오직 혼란만이 존재할 뿐이다. 검색을 하지 말고 사색을 하라고 하지만, 나는 순서가 틀렸다고 생각한다. 사색할 줄 아는 사람만이 제대로 된 검색을 할 수 있다.

나는 기억력이 뛰어나지 않다. 아니, 오히려 평균 이하의 기억력을 갖고 있다. 하지만 굳이 외우려고 노력하지는 않는다. 기억력이 없는 대신 내게는 추리력이 그 역할을 대신한다. 기억력은 나이가 들수록 흐려지는 헛것이라 한계가 있지만, 추리력은 사는 내내 가장 중요한 정보를 잊지 않고 기억하게 돕는다. 괴테의 높은 문해력 역시 거기에서 왔다. 그는 무려 40년 동안이나 자신의 이탈리아 기행 당시의 사소한 느낌과 흔적을 모두 기억했다. 아니 더 정확하게 말하자면 그는 기억력이 아닌 추리력으로 그것들을 가슴에 남긴 것이다.

"(나는) 앞으로 어떻게 될까?"라는 말은 제대로 된 질문이 아니다. 그것은 내가 주도하는 질문이 아니기 때문이다. 그 질문에는 다른 수많은 사람이 존재한다. 자신이 주도할 수 있는 질문을 해야 한다. "(나는) 어떻게 하면 좋을 것인가?" 두 질문 모두 앞에 '나는'이라는 표현이 들어갔지만 분명한 차이가 있다. 문해력을 키우고 싶다면 자신을 매우 중요하게 생각해야 한다. 내가 본 세상을 다시 세상에 보여주는 것이 바로 예술이고 창조다.

독서와 관찰 등 세상과의 모든 대화는 너와 나로 가를 수 없다. 이미 하나로 연결되어 융합되었기 때문에 너와 내가 아닌 제3의 존재가 되었기 때문이다. 문해력이란 새로운 세계를 여는 힘이다. 부싯돌에서 튀는 불꽃처럼 두 개가 마주친 섬광閃光, 그것을 읽어야 한다.

생각을 나열하지 말고
결합하라

뉴턴은 떨어지는 사과를 관찰해 '만유인력의 법칙'을 발견했다. 갈릴레이는 성당의 흔들리는 샹들리에를 보며 지동설에 대한 확신을 가졌고, 양치기 조지프 글리든Joseph Glidden은 덩굴장미에서 얻은 아이디어로 철조망을 발명하여 갑부가 되었다. 이렇듯 지나치기 쉬운 평범한 현상에서 비범한 아이디어를 찾아내는 이들의 공통점은 무엇일까? 바로 같은 사물과 상황이라도 다르게 보고, 창조적으로 생각하는 능력을 가졌다는 점이다.

창조적 사고 능력에 관한 연구로 유명한 석학 에드워드 드 보노Edward De Bono 박사는 인간의 사고 유형을 크게 '수직형 사고vertical thinking'와 '수평형 사고lateral thinking'로 나누었다. 웹스터 사전에도 올라 있는 두 개념에 대한 설명에 따르면, 수직형 사고는 이미 알고 있는 진부한 논리인 것에 반해, 수평형 사고는 창조적인 면을 강조하는 것이라고 했다. 좀 더 쉽게 말해 수직형 사고가 이미 누군가 팠던 한 구덩이만 계속 파고 들어가는 것이라면, 수평형 사고는 장소를 가리지 않고 여기저기 구덩이를 파는 것으로 비유할 수 있다.

우리는 누군가 이미 밝혀낸 이야기를 가지고 남들과 비슷한 방식으로 기획하는 것에 익숙하다. 어떤 문제에 대해서 모두가 수직형 사고를 하다 보니 모두가 비슷한 기획을 하고 기존의 범위 안에서 경쟁하는 고된 일을 반복하게 되는 것이다. 같은 사물을 가지고도 경쟁을 하던 곳에서 벗어나 새로운 기획을 해내고 싶다면 우선 발상을 바꿔야 한다. 비상식적이고 검증되지 않은 새로운 발상을 하는 방법이 수평형 사고이다. 하나의 사실이나 문제를 생각할 때, 기존의 상식적 사고인 수직형 사고에서 180도 전환한 수평형 사고를 해본다. 어느 하나의 대상이 정해지면 그 대상이 상식적인 수직형 사고에서 한 발 더 나아가서 새롭게 발상을 바꾸어 보는 것이다.

일단 사진기라는 대상을 놓고 보자. 사진기에 대한 수직형 사고는 '불편하지만 사진을 찍기 위해 들어야 하는 것'이다. 사진을 취미로 즐기지 않는 사람에게 사진기는 손에 들어야 하는 귀찮은 물건일 뿐이다. 하지만 여기에서 생각이 멈춘다면 '어떻게 해야 사진을 힘들이지 않고 편하게 찍을 수 있을까?'라는 남들이 이미 다 했던 단순한 정도의 생각만 나올 것이다. 친구에게 맡기거나 서로 번갈아 가면서 들고 가는 방식에 대한 생각만 하게 된다. 그건 이미 많은 사람들이 시도한 굳이 거론할 필요가 없는 아이디어다.

여기서 생각을 멈추지 말고, 발상을 180도 바꿔서 비상식을 상식처럼 생각해 보자. 이를테면 "사진기는 따로 들어야 하는 대상이 아니다"라고 발상을 바꾸는 것이다. "아니, 사진기를 들지 않아도 된다니? 사진을 찍지 않겠다는 건가?"라고 응수할 수도 있다. 물론 상식적으로는 말이 되지 않는다. 그러나 언제나 새로운 것은 비상식적인 사고에서 시작한다. 모두가 사진기를 당연히 들고 다녀야 한다고 생각할 때, '사진기를 따로 들지 않아도 된다'라고 생각을 180도 전환하는 것이 바로 대표적인 수평형 사고이다. 새로운 생각을 해내지 못하는 사람들은 이러한 비상식적이고 비논리적인 사고를 하지 않는다. 물론 비상식적 사고가 상상만으로 끝나면 의미가 없다. 하지만 대상과 재결합을 시도하면서 비상식적인 생각은 곧 새로운 아이디어가 되어 나온다.

"잠깐 사진을 찍으려고 내내 무거운 사진기를 들고 다니는 것은 상당히 비효율적인 일이야. 자꾸 들어달라고 부탁하는 것도 미안하고, 따로 들고 다니는 건 싫고 사진은 찍고 싶은데 어떻게 해야 할까?"

답은 이미 세상에 나왔다. 지금 거의 모든 사람이 손에 쥐고 사는 스마트폰이다. 예전에는 하나하나 따로 들고 다녀야 했지만 이제는 스마트폰만 들고 나가면 언제 어디에서든 쉽게 사진을 찍을 수 있다. 이 획기적인 물건은 누군가의 수평형 사고로 인해 만들어진 창의적인 발명품인 것이다. 지금은 너무나 당연한 것이지만 과거 어느 순간 누군가 수평형 사고를 시도함으로써 남들이 전혀 생각하지 못했던 상품인 사진기 기능이 들어가 있는 스마트폰을 창조할 수 있었다. 이런 수평형 사고는 다음과 같은 방법으로 실생활에 이용할 수 있다.

예를 들어 이번에 새로 개장한 대형 운동장을 평가하기 위해 평기자들이 운동장 근처에 모여 있다 치자. 한 사람은 운동장 오른편에 다른 한 사람은 그 반대편에 서 있다. 그리고 또 다른 두 사람은 양옆으로 서 있다. 이 네 사람에겐 운동장이 서로 다른 모양으로 보일 수밖에 없다. 이런 형태로는 논리적인 사고를 할 수 없다. 수평형 사고는 이렇게 주장하는 대신에, 네 사람이 함께 운동장의 사면을 돌아가며 집을 관찰하는 것이다. 여러 사람이 어느 한 순간 동일한 관점에서 함께 본다는 의미에서 이 방법을 수평형 사고라 하는 것이다.

이것은 의도적으로 반대의 관점에 서서 토론과 논쟁을 벌이는 방법과는 전혀 다르다. 수평형 사고는 모든 사람이 동일한 방향을 함께 바라보는 것이기 때문이다. 수평형 사고의 혁신은 여기에서 그치지 않는다. 전통적인 사고 기법은 두 사람의 의견이 일치하지 않으면 서로 상대방이 틀렸다는 것을 증명하기 위해서 논쟁을 벌이게 되는데, 이러한 논쟁은 서로 바라보는 관점이 다르기 때문에 일어나는 현상이다. 그러나 수평형 사고는 다르다. 서로 대립되는 견해를 일단 모두 기록해 놓고 서로 다른 견해들 중에 꼭 하나를 정해야 하는 경우에만 선택을 한다. 만약 이런 선택이 불가능하다면 양쪽의 가능성을 다 포용할 수 있는 새로운 대안을 내야 하는데 수평형 사고는 항상 이런 측면에 무게를 둔다. 즉, 싸워서 하나의 결론을 내는 게 아니라 모두기 최적화된 아이디어를 만들어 내서 서로에게 가장 도움이 되는 방향으로 귀결하는 것이다.

사람들은 흔히 '자기 자신이 얼마나 똑똑한가'를 과시할 수 있기 때문에, 상대방을 제압함으로써 쾌감을 얻으려 별 소득 없는 논쟁을 즐기며 아까운 시간을 흘려 보낸다. 하지만 이러한 논쟁은 서로에게는 물론 개인에게도 전혀 도움이 되지 않는다. 그러므로 논쟁을 하거나, 창의적인 생각을 할 때 수평형 사고를 이용하면 많은 도움을 받을 수 있다. 앞서 말했듯, 수평형 사고란 '누가 옳으냐', '누가 그르냐', 혹은 '누가 이겼냐', '누가 졌냐'를 가리는 것이 아니라, 상황에 가장 최적화된 혁신적인 아이디어를 만들어 내는 것이다.

일상 독해에서
버려야 할 시선

우리의 일상은 결국 자신에게 다가오는 말과 글을 독해하며 보내는 나날의 반복이다. 온전히 말과 글로 소통하며 살기에 '일상 독해'는 높은 문해력을 가지려는 사람에게 매우 중요한 역할을 한다. 우리가 일상에서 가장 많은 시간을 보내는 에스엔에스SNS에서도 우리가 타인과 소통하는 방법은 글이 유일하다. 표정도 마음도 태도도 오로지 글에서 추측할 수밖에 없다. 결국 한 사람의 수준은 일상에서 글을 독해하는 수준과 일치한다. 나는 지난 20년 이상 각종 에스엔에스에서 활동하며 반복된 일상에 지치지 않고, 더 나은 나날을 만드는 일상 독해를 위해 우리가 버려야 할 시선을 발견했다.

나를 미워하는 게 아닐까? 사랑으로 보면 모든 게 사랑스럽게,

미움으로 보면 모든 게 밉게 보인다. 글을 읽는 마음과 시선이 결국 읽는 사람의 감정을 바꾼다. 자주 상처를 받고 믿음을 잃게 되면 모든 글이 나를 미워하는 마음으로 쓴 글처럼 보이는 게 사실이다. 그런 현실을 바꾸려면 반대로 모든 글을 상대가 나를 사랑하는 마음으로 썼다고 생각하며 읽자. 비록 그렇게 나온 글이 아닐지라도 최소한 우리의 마음은 위로받을 수 있다. 최악의 미움에서도 우리는 언제나 작은 사랑을 발견할 수 있다.

"미움이 삼킨 사랑을 꺼내자."

내게 원하는 게 있나? 자꾸 의심스러운 마음으로 글을 읽게 되는 경우가 있다. 괜히 친절하고, 생각 이상으로 많은 감정을 표현한 글을 읽으면 절로 그런 생각이 든다. 하지만 그런 자세로는 서로를 알 수 없다. 약간 거리를 유지하는 것도 중요하지만 결국 뭔가를 배우기 위해서는 조금 가까이 다가서는 용기도 내야 한다. 다가가지 않으면 알 수 없으니까. 거절당하고 실망할 용기를 내고 조금 더 다가가서 읽자.

"거절을 받아들이는 용기가 사랑을 만든다."

왜 내 마음과 다르지? 너무 차가운 글은 때로 우리의 마음을 아프게 한다. 좋은 마음으로 글을 썼는데 평소 친분이 있다고 생각한 사람이 차가운 마음이 느껴지는 댓글을 달면 혼란스러워 자

신의 마음과 다른 그의 마음에 아파한다. 그런 감정을 느끼는 것
도 좋지만, 늘 그런 식으로 아파하면 결국 자기만 지쳐 버린다.
모든 사람이 내 마음과 같을 수는 없다. 오히려 같지 않아서 다양
한 그 마음을 알 수 있고 배울 게 있다는 마음으로 조금은 편안하
게 글을 읽어야 한다.

"내 마음과 달라서 더 좋다."

저 사람은 왜 이렇게 답답할까? "나라면 그렇게 쓰지 않을 텐
데"라고 생각하게 만드는 글이 있다. 세상에는 글쓴이가 앞뒤 꽉
막힌 사람처럼 보이는 글도 있다. 하지만 그런 시선으로 글을 읽
으면 오히려 쓸데없이 보낸 자기 시간만 아까울 뿐이다. 세상에
필요 없는 글은 없다. 당신의 시선이 글의 임무를 정하지 못했을
뿐이다. 임무를 정해주면 글은 거기에 맞게 바뀐다. 답답하지 않
고 편안한 글을 쓰기 위해 읽는 사람을 답답하게 만드는 글쓰기
라는 주제도 생각해 보면 예상 외로 자신과 타인에게 도움을 줄
수 있는 콘텐츠를 발견할 수 있고, 그것을 주제로 글을 써서 세상
에 도움을 줄 수도 있다.

"팔리지 않는 사물에서 팔리는 콘텐츠가 나온다."

모든 글은 읽는 사람의 시선이 결정한다고 생각하자. 실제로
상대가 나를 미워하는 마음으로 글을 썼을 수도 있다. 하지만 그

걸 안다고 현실이 달라지지는 않는다. 오히려 반대로 좋은 마음으로 읽으면 글에 담긴 미움도 조금씩 사라져 좋은 향이 나는 관계로 발전할 수 있다. 세상도 하나의 책이다. 어떤 방식과 시선으로 읽느냐에 따라서 내가 살 내일이 결정된다.

"내가 살아갈 세상은
내가 읽는 대로 만들어진다."

하나로 전체를 압도하는 질문법

한마디만 했을 뿐인데 그의 전부를 짐작하게 만드는 사람이 있다. 아니, 당신도 자주 느꼈을 테지만 그런 사람은 의외로 매우 많다. 또한 짐작도 매우 정확하게 들어맞는다. 상대의 성향만 알면 그가 어떤 정치인을 좋아하고, 어떤 책을 읽으며, 어떤 방송과 음악을 좋아하는지도 마치 물이 흐르는 것처럼 자연스레 알 수 있다. 물론 그 반대도 마찬가지로 짐작할 수 있다.

짐작이 가능한 삶에 대해서 어떻게 생각하는가? 상대가 어떤 상황에서 어떤 생각으로 어떤 선택을 할지 눈에 선하게 보이는 사람은 그리 매력적이지 않다. 반면에 매번 예상을 뛰어넘은 선택을 하는 사람은 도저히 짐작할 수가 없다. 어떤 사람이나 단체에 대한 편견을 버리고, 오랫동안 다져 온 성향을 씻어낸 사람은 누구라도 짐작할 수 없는 인생을 살아갈 수 있다. 그건 정말 멋진 일이다. 스스로 자신을 예상할 수 없는 삶을 산다는 것은 자신에게 생각의 자유를 허락한 것이기 때문이다. 그런 기회를 자신에게 허락하는 사람들은 어떤 질문을 하면서 살까? 그들은 어떤 상황에서 어떤 일이 일어나면 언제나 이런 질문을 자신에게 던진다. "다음에 무슨 일이 일어날까?" 그 안에는 굳어 버린 성향이나 치우친 견해가 없다. 투명한 시선으로 바라보며 관찰하는 한 사람의 영혼만 존재할 뿐이다. 그러므로 문해력을 통해 성장하려는 인간에게 가장 중요한 질문은 바로 이것이다. 이 질문이 인간을 도약하게 만들고 어제보다 현명한 선택을 할 수 있도록 돕는다.

하지만 일상의 대부분에서 우리는 이 질문을 잊고 지금까지 반복했던 것을 선택하며 산다. 다시 말해서 생각을 아예 하지 않고 사는 것이다. 그저 그게 편하다는 이유로 만든 지 수십 년이 지난 기계를 업그레이드 없이 작동하면서, 가슴으로는 혁신을 꿈꾸고 있는 셈이다. 누구도 짐작할 수 없는 시선으로 세상을 바라보았던 아인슈타인은 그래서 이런 말을 남겼다.

"어제와 같은 오늘을 살면서 어제와 다른 오늘이 되기를 바라는 것은, 조현병 초기 증세다."

인간이 가장 분석적이고, 모든 불가능에 희망을 부여하고, 종합적인 대책을 현명하게 세울 때가 있다. 신호등이 없는 교차로에서 좌회전을 고민하며 달려가고 있는데 맞은편 차량이 매우 애매한 거리에서 애매한 속도로 나를 향해 달려올 때다. 그때 우리는 비로소 이런 질문을 던진다.

"나는 지금 어떻게 해야 하는가?"

"그걸 선택하면 무슨 일이 일어날까?"

달려오는 자동차의 거리와 속도를 그 짧은 시간에 계산해서 오히려 가속 페달을 밟아 빠르게 좌회전을 하거나, 아예 속도를 줄이고 차가 지나가길 기다릴 수도 있다. 아니면 달려오는 차가 속도를 줄여주기를 바라며 방향 지시등을 켜고 달릴 수도 있다. 그도 아니면 더 빠르게 달려 조금만 더 가면 있는 유턴 지역에서 편안하게 신호를 받고 목직지로 갈 수도 있다. 이외에도 수많은 방법이 그 짧은 시간 동안 머리를 스칠 것이다. 그간 운전한 모든 데이터를 머리에 넣고 마음속으로 잠시 후의 상황을 예측했기에 가능한 판단들이다. 속도를 줄이는 이유는 과거 언젠가 본 자동차 충돌 영상이 생각났거나 그런 경험이 있기 때문이며, 속도를 내서 오히려 좌회전을 시도하는 이유는 상대 자동차의 양보를 많이 받았거나 반대로 양보를 받지 못해 도리어 억울했기 때문일 수도 있다. 아무튼 그렇게 우리는 수많은 가능성을 검토하며, 이것저것 분석해서 얻은 결과로 평소에 하지 않던 어떤 새로운 시도를 하게 된다. 여기에서 가장 중요한 것은 이때 우리가 타인의 예상과 전혀 다른 선택을 하게 된다는 사실이다. 즉 짐작할 수 없는 내가 되는 것이다.

《 3장 》

언어가 곧 나의 세계다

: 문해력 단련법

절대는 절대로 없다

〰〰〰〰〰〰〰〰〰〰〰〰〰〰〰〰〰〰〰〰〰〰〰〰〰〰〰〰〰〰〰

지난 10년 동안 한국의 대표 지성 이어령 박사와 문해력을 주제로 상당히 자주 이야기를 나눴다. 워낙 뛰어난 언어 감각의 소유자인 그였기에 배운 것이 참 많았는데, 그 중 유독 기억에 남는 말이 하나 있다. 자신의 사투리 하나까지 바꾸지 않고 그대로 표현하기를 바라는 그이기에 내가 들었던 말을 그대로 옮기면 이렇다.

"언어를 통해 성장을 이루고 싶다면, 이 세상에 '절대'라는 말은 없다는 사실을 깨닫는 게 필요하지. 그게 있을 수 있겠어? 우리는 전부 관계 속에 살고 있잖아. 언제든 언어는 변할 수 있는 거야. 뭐, 절대라는 말을 쓸 수 있는 경우가 딱 한 번 있어. '절대라는 말은 절대로 없다'라고 할 때 말이지."

그가 내게 전하고 싶었던 의미는 무엇이었을까? 지난 10년 동

3장. 언어가 곧 나의 세계다

안의 대화로 나는 그의 마음을 조금 알게 되었다. 언어 그 자체는 매우 약하다. 언어가 힘을 발휘하려면, 그 언어를 사용하는 사람이 강해져야 한다. 자기 언어의 주인이 되어야 하며, 끊임없이 언어를 배워야 하는 이유가 거기에 있다. 언어를 장악하지 못하면, 그가 구사하는 언어는 관계와 상황에 따라 거듭 변화하게 된다. 그러나 그것이 매번 어려운 단어나 표현을 써야 한다는 말은 아니다. 타인이 이해하지 못할 정도로 어려운 단어를 사용하면 자기 지식 수준도 올라간다고 착각하는 사람이 있다. 이는 오히려 자신이 단어에 대한 절대적인 이해가 부족한 상태임을 증명하는 것이다. 우리가 어려운 단어를 사용하는 것은 어려운 것을 이해했기 때문이 아니라, 오히려 아직 그 단어를 쉬운 말로 설명할 정도로 충분히 이해하지 못했기 때문이다.

음악가에게는 악상이 바로 단어 역할을 하는 기준이 될 수 있다. 그런 점에서 악상을 대하는 베토벤의 방식은 남달랐다. 그는 새로운 교향곡 악상이 떠오를 때마다 스케치북에 끊임없이 메모하고 고뇌하며 수정하기를 반복했다.

또한, 그는 어디를 가더라도 늘 스케치북을 갖고 다녔다. 언제든 악상이 떠오를 때마다 곧바로 적어야 했기 때문이다. 이는 악상을 스스로 충분히 이해할 수 있는 수준까지 도달하게 만들기 위한 그만의 독특한 방법이었다. 그의 음악이 지금까지 대중의 마음을 울리는 이유는, 바로 악상을 가장 이해하기 쉬운 단계까지 끌고왔던 이런 상상 이상의 노력이 있었기 때문이다. 마찬가지로 모차르트나 하이든에 비해서 많은 교향곡을 쓰지 못한 이유도, 곡 숫자에 연연하지 않고 한 곡에 더 많은 시간과 노력을 들여 만들었기 때문이다.

각종 온라인 커뮤니티에서 연재하는 웹툰도 마찬가지다. 나는 얼마 전까지만 해도 웹툰이 읽는 사람에게 재미는 주지만 작품으로서의 깊이에 대해서는 물음표를 갖고 있었다. 그러다가 문득 이런 궁금증이 커졌다.

"왜 웹툰을 원작으로 만든 드라마가 자주 나올까?"

"왜 그런 작품들의 시청률이 높은 걸까?"

아주 심각하게 그 이유에 대해 생각하게 되었다. 깊은 생각은 결국 이런 투명한 답을 주었다. 웹툰 작가들이 자신의 작품 하나를 완성하는 데 투자한 시간과 노력이, 보통의 드라마 작가들이 시나리오에 투자하는 것보다 많고 치열하다. 웹툰 작가는 보통 매주 한 편을 창작해야 한다. 적게는 30화, 많게는 100화가 넘어야 비로소 작품 혹은 시즌 하나가 끝난다. 웹툰 특성상 매주 연재분은 다음 이야기를 기대할 수 있게 마무리되어야 하고, 길지도 짧지도 않게 일정한 분량을 지켜야 한다. 한 번은 쉽지만 매주 그걸 반복한다는 것은 정말 고된 일이다. 결국 그들은 매주 드라마 한 편을 완성하는 정도의 노력을 기울이는 셈이다. 그렇게 치열하게 만든 웹툰이 드라마로 탄생해 인기를 얻지 못하는 게 더 이상한 일이라는 사실을 깨달았다. 그들보다 더 멋진 작품을 창조하려면 방법은 하나다. 당신이 세상에 전하려는 언어와 그것이 바라보는 세계에 대해 더 오래, 깊이 연구하면 된다. 이때 내가 제대로 타인에게 설명할 수 없는 단어를 내가 아직 모르는 세계라는 생각으로 연구하면 중간에 멈추지 않고 정진할 수 있다.

"나의 세계는 경쟁도 없고,
흔들림도 없다."

우리가 언어와 싸우는 이유

"아, 그때 이렇게 말했어야 했는데!"

"조금 더 나의 장점을 살려서 말했으면 좋았을 텐데."

무언가를 결정하는 중요한 자리에서 이런 후회를 하며, 자신이 생각한 이야기의 절반만 전하고 돌아섰다면, 당신은 가진 무기의 절반을 버리고 적과 맞서 싸운 것과 같다. 모든 전쟁에서 서로의 역량은 사실 비슷비슷한 수준에서 크게 벗어나지 않는다. 원래 비슷한 사람들이 서로를 참지 못하고 싸우는 거니까. 그런데 절반이나 무기를 버리고 왔다면 결과는 굳이 확인하지 않아도 뻔하다.

말과 글이 그 사람의 역량 중 매우 많은 부분을 차지한다고 여기저기에서 주장하는 이유는, 지금까지 배워서 얻은 지식과 경험으로 깨친 삶의 지혜를 우리는 말과 글이라는 통로로만 세상과 타인에게 전할 수 있기 때문이다. 언어 능력의 부재로 가진 것의 절반만 전한다는 것은 공들여 준비한 자기 삶을 스스로 절반이나 잘라서 버리는 것과 같다. 능력을 과장하는 것은 위험하지만, 반대로 제대로 보여주지 못하는 사람은 우리를 안타깝게 만든다.

직장에서도 그런 일은 자주 일어난다.

"그래서 네가 하려는 말이 정확하게 뭐야?"

"그게 문제야? 원인이야? 해결책이야?"

"앞으로 그건 어떤 방식으로 풀어가야 하나?"

"결론이 뭐야? 짧게 압축해서 설명할 수 없나?"

결국 업종이 무엇이든 우리가 직장에서 하는 일은 위에 나열한 4개의 문장에 대한 답을 끝없이 찾아 제시하는 것이다. 회사 내에서는 각가지 회의와 프레젠테이션이 이루어지고, 그에 맞는 제안서와 기획서를 작성해야 한다. 외부에서는 고객을 만나 소통을 해야 한다. 각종 미팅에서 성과도 내야 한다는 중압감을 느끼며 언제나 이런 생각을 하게 된다.

"조금 더 상황을 선명하게 볼 수 있다면 좋겠다."

일의 중심을 발견하지 못한 채 형체가 흐릿해지며 불안한 이유는 앞이 보이지 않기 때문이다. 스스로 미래를 정한 후 시작한 모든 일에는 자신감이 생기게 마련이다. 반대로 우리가 자기 삶에서 자신감을 잃는 이유는 바로 앞의 미래도 바라보지 못한 채 근근이 살아가고 있어서다. 하지만 분명한 자기 언어를 갖고 사는 사람은 다르다.

— 무엇을 말하든 자기 생각을 중심에 둔다.
— 명확한 근거를 가지고 주장한다.
— 이야기가 연결되어 있어서 늘 흥미롭다.
— 같은 콘텐츠를 다뤄도 결론이 늘 참신하다.

　생각하는 사람과 고민하는 사람은 뭐가 다를까? 생각하는 사람이 언어와 공존하는 사람이라면 고민하는 사람은 언어와 싸우는 사람이다. 그들은 불행하게도 이길 수 없는 전쟁을 자초하며 살고 있다. 풀기 힘든 문제라서 고민하는 것이 아니다. 언어와 공존하며 생각하는 사람은 문제를 바라보는 자기 생각이 분명해서 명확한 근거로 상황을 바라본다. 그 덕에 시간을 두고 관찰하며 깨달은 지혜로 문제를 풀지만, 고민만 하는 사람은 상황을 바라보는 분명한 자기 생각이 없어 그냥 바라만 본다. 아무런 대책이 없어서 시간만 하릴없이 보내는 것이다. 생각한다는 것은 목적이 분명하다는 뜻이다. 그들은 결론을 향해 어떤 방향으로 달려갈 것인지 속도를 어떻게 조절할 것인지 세세한 것들까지 합쳐서 생각한다. 고민은 그 사람의 삶을 힘들게 하고 생각은 그 사람 삶에 여유를 준다.

　만약 당신이, 복잡한 문제를 간단하게 정리해서 해결하고 싶다면, 같은 것을 보면서도 다른 발상을 하며 다양한 아이디어를 제시하고 싶다면, 어떤 힘든 문제도 막히지 않고 마치 답을 알고 시작한 것처럼 처리하고 싶다면, 꼭 당신에게 들려주고 싶은 말이 있다. 이 말을 듣자 마자 나는 정말 가슴이 무너질 정도였다. 나는 이 말이 모든 성장에 핵심이 될 문장이라고 본다.

"우리는 언어와 싸우고 있다."

타인과의 싸움에서 각종 무기가 될 자격증, 세상과의 전투에서 장점이 될 수많은 역량보다 중요한 것이 바로 언어 수준이다. 우리는 그들의 자격증과 각종 역량이 아닌, 언어와 싸우는 것이다. 그래서 사람과 세상을 앞서가려는 노력은 결국 패배로 끝나고 만다. 앞선다는 것은 언젠가 추월당한다는 것을 의미하기 때문이다. 경쟁은 그래서 우리에게 늘 고통을 준다. 사람과 세상을 앞서려는 마음을 접고, 공존하려는 마음으로 '언어'라는 말의 등에 올라가 자신이 원하는 곳으로 방향을 틀어야 성장하며 살아갈 수 있다. 이를테면 그들은 전혀 배운 적이 없는 분야의 문제도 자유롭게 그리고 수월하게 풀 수 있다.

"상대의 분노를 글로 표현할 수 있다면 그의 분노를 잠재울 수 있고, 세상의 흐름을 말로 설명할 수 있다면 스치는 세상의 뒷덜미를 잡아채 원하는 곳으로 방향을 틀 수 있다."

말과 글, 즉 우리가 구사하는 언어가 곧 우리 인생의 수준을 결정한다. 같은 상품을 팔아도 다르게 표현할 수 있다면 다른 가치를 부여할 수 있고, 같은 에피소드를 말해도 다르게 표현할 수 있다면 '나의 이야기'로 만들 수 있다. 다시 강조하지만, 언어와 싸우는 자는 결코 원하는 것을 가질 수 없다. 언어와 공존하며 서로를 이해하라.

"세상에 완벽한 것은 없지만
무언가를 완벽하게 표현할 수는 있다."

위태로울수록
더 치열하게 읽어라

3살에 사생아가 되었고, 여러 차례 처형 위기를 넘기다가 마침내 21살 때는 사형수가 된 여인이 있다. 그러나 그녀는 기적적으로 살아나 25살에 세계의 중심에 선다. 바로 엘리자베스 1세Elizabeth I 여왕이다. 이 놀라운 이야기는 거기에서 멈추지 않는다. 그녀가 위대한 이유는 그저 여왕이라는 자리에 앉아서가 아니다. 그녀가 여왕으로 즉위할 때 영국의 상황은 최악이었다. 국가 부도 직전의 상태라고 볼 수 있을 정도로 나라 안팎으로 혼란의 시기였다. 종교의 위기, 불안한 왕권, 인플레이션의 발생, 주변 국가의 적대적인 태도에 한 순간도 긴장을 늦출 수 없었다.

당시 그녀는 겨우 스물다섯이었다. 지금으로 보면 이제 막 대학을 졸업한 사회 초년생에 불과한 나이, 그런 그녀가 어떻게 영국이라는 대국을 어떤 전략으로 지휘하며 불안정한 정국을 바로 잡아나갔을까?

— 일단 화폐를 개혁해서 경제를 안정시켰다.

— 실업자를 구제할 효과적인 법률을 만들었다.

— 정치인들을 능력 위주로 등용했다.

이를 통해 그녀는 나라에 닥친 여러 가지 문제를 근본적으로 해결해 나갔다. 영국을 부도 위기에 빠진 나라에서 그 어느 때보다 '눈부시게 성장하는 나라'로 만들어 놓은 것이다. 이렇게 보면 그녀가 시도한 위의 정책이 그리 대단해 보이지 않는다. 그러나 평범해 보이는 정책 하나도 현실에서 실행하려면 상황을 분석하며 그때그때 현명하게 선택할 수 있는 매우 특별한 안목이 필요하다. 누구나 말로는 할 수 있지만 실천하기는 힘든 이유가 여기에 있다. 그녀에게 그런 가공할 힘을 준 건 바로 '언어를 다루는 능력'에 있었다. 그녀는 여왕이 되기 전부터 탁월한 언어 감각을 자랑했다.

나는 그녀의 언어 감각이 최고로 빛났던 순간으로, 신교도라는 이유로 사형을 당할 위기에 처했던 때를 꼽는다. 아무리 강심장을 가진 사람도 자신의 죽음 앞에서 흔들리지 않을 수 없다. 하지만 당시 그녀는 결코 자신이 처한 상황에 좌절하거나 자신을 불행하다고 여기지 않았다. 오히려 감정적인 언어 사용을 제어하며 평정심을 유지했다.

"분노는 미련한 사람을 순간적으로 기지 넘치게 만든다. 그러나 영원히 초라하게 만든다."

언어의 한계가 곧 자신의 한계라고 생각한 그녀는 어릴 때부터 배울 수 있는 언어는 모조리 배우려고 애를 썼다. 자신이 펼칠수 있는 세계를 끊임없이 확장하려고 한 것이다. 그 결과 라틴어를 비롯해 그리스어까지 유창하게 구사할 수 있게 되었다. 식민지를 개척하며 보냈던 시기는 시각에 따라 다른 평가를 받겠지만, 변하지 않는 사실은 그녀가 '해가 지지 않는 대영제국'의 기틀을 완성했다는 사실이며, 그 중심에 그녀의 뛰어난 언어 감각이 있었다는 것이다.

당연히 국민의 언어 감각 역시 중요하게 생각한 그녀는 영국의 문화 발전도 이끌었다. 윌리엄 셰익스피어의 문학과 프랜시스 베이컨의 철학이 영국의 언어 수준을 몇 단계 끌어올렸다. 그 중심에는 물론 예술가에게 전폭적인 지원을 아끼지 않았던 그녀의 결단이 있었다. 그녀는 평생 언어 감각을 단련하며 사는 이유에 대해서 이렇게 말한 적이 있다.

"누구와 어떤 주제로 대화해도 거뜬히 대화를 주도할 수 있는 역량을 키워야 자신의 세계를 구축해 나갈 수 있다."

평생 단련한 그녀의 언어 감각은 목숨이 오가는 전투에서도 빛을 발했다. 그녀는 중요한 전투 때마다 가장 앞에 서서 특유의 열정적인 표현으로 군의 사기를 최고 수준으로 끌어올렸다. 그녀가 앞에 설 때마다 영국군은 이겼다. 그녀는 전쟁뿐 아니라, 인문과 정치, 경제 등 지성의 거의 모든 영역에서 최고의 기량을 발휘했다. 어릴 때부터 하루에 3시간 이상 책을 읽었고, 산책하러 나갈 때조차 허리띠에 매달린 주머니 안에 먹을 음식이 아닌 읽어야 할 책을 가지고 다닐 정도로 지독하게 언어 감각을 끌어올리려고 노력한 결과인 셈이다. 지금의 영국을 만든 건 엘리사베스 1세의 첨예한 '언어 감각 단련' 덕분이다. 그녀의 삶이 증명하듯, 한 사람의 언어는 곧 하나의 세계다.

"자신의 언어를 제어할 수 있는 자는,
타인의 제약을 받지 않는다.
언어는 자기 자신에게 자유를 허락하는
최고의 지적 무기다."

일상을 바꾸는
한 줄의 기적

이순신 장군의 〈난중일기〉를 자주 읽는다. 모든 책에서 저마다 우리가 얻을 수 있는 것은 다르다. 내가 난중일기를 읽는 이유는 한 줄의 귀한 가치를 느끼기 위해서다. 자기 언어의 주인이 되려면, 작은 곳에서도 가치를 발견해 확장할 수 있어야 한다. 그러나 우리는 자꾸만 작은 것의 가치도 찾지 못하면서 확장만 하려고 든다. 먼저 일기 하나를 소개한다. 마음으로 섬세하게 읽어 보자.

1593년 6월 12일
잠깐 비가 내리다 개다. 아침에 흰 머리카락을 뽑았다.

짧은 일기다. 그리고 "전투를 하는 중에 흰 머리카락을 뽑다니 왜?"라는 의문을 가질 수도 있다. 하지만 이어서 나오는 내용을 읽으면 절로 고개를 끄덕이게 된다. 늙은 어머니가 혹시라도 자신의 흰 머리카락을 보고 마음 아파하실지 모르니 뽑아 없애는 것이다. 다시, "전투 중에 그런 신경을 써야 하나?"라는 생각도 할 수 있지만 이순신의 정신을 아는 사람들은 이렇게 생각하게 된다. "전투 중인데도 역시 대단하네" 그의 일기를 읽어 보면 어머니를 생각하며 걱정하고 존경하고 사랑하는 마음을 절실히 느낄 수 있다. 아래 몇 개의 일기를 더 소개한다.

1595년 1월 1일

맑다. 촛불을 밝히고 혼자 앉아서 나랏일을 생각하니 저절로
눈물이 흘러내렸다. 또 팔순의 병든 노모를 생각하며 뜬눈으로
밤을 새웠다.

1월 5일

맑다. 봉과 울이 들어와서 어머니께서 평안하시다고 전했다.
매우 다행이었다. 밤새 온갖 생각이 떠올라 잠을 이룰 수 없었다.

1월 20일

맑다. 아들 울과 분이 들어왔다. 어머님이 평안하시다 하니
매우 다행스럽다.

그는 이렇게 한 달에 최소 3회 이상은 어머니 건강을 걱정하며 늘 확인하고 소식을 들었다. 하지만 중요한 건 읽고 난 후의 행동이다. 전투 중에도 흰 머리카락을 뽑았다는 그의 읽기를 읽으면 어떤 생각이 드는가? "대단하다", "정말 효자네"라는 생각에 그쳤다면 아직은 그의 한 줄을 제대로 읽은 게 아니다. 일상에서 실천할 방법을 찾아야 한다.

— 흰 머리카락을 뽑는 건 현재의 삶과 맞지 않으니 다른 것을 찾아야겠다.
— 부모님께 하루 세 번 전화를 해서 안부를 묻자.
— 실천에 옮기니, 막상 처음에는 할 말이 많지 않았다.
— 하지만 반복해서 통화하니 서로 마음이 편안해졌다.
— 덕분에 일상에 더욱 집중할 수 있었다.

그렇게 나는 이순신의 마음을 이해할 수 있었다. 전쟁 중에 흰 머리카락을 뽑을 정도로 효자였던 그가 그 치열한 전투에서도 중심을 잃지 않았던 이유는, 역시 어머니를 생각하는 그 마음에 있었다. 실제로 석 달 넘도록 어머니께 매일 3회 이상 전화를 하며 내가 일상에 더욱 집중할 수 있었던 것처럼 그도 그랬다. 어머니를 모시는 마음에서 평안을 찾았고, 그 고요한 마음은 그대로 전쟁터에서 침착한 자세로 전투를 지휘하는 데 큰 힘이 되었다. 결국에는 효와 전투가 하나로 이어져 있던 셈이다.

1592년 5월 29일 일기에는 적에게 총을 맞은 이야기가 나온다. 그날 기록된 마지막 문장을 읽어 보자.

"나도 왼쪽 어깨 위에 탄환을 맞아 등을 관통하였으나, 중상은 아니었다."

탄환을 맞았고 관통했지만, 그는 자신의 상황을 매우 간단하게 표현했다. "중상은 아니었다." 보통 사람이었다면 자신의 아픔이, 게다가 탄환이 관통할 정도로 심각한 고통이 일기의 중심이었을 것이다. 아니, 일기를 쓸 생각조차 하지 못했을 것이다. 하지만 그의 일기 전문을 살펴보면 그의 부상은 그저 전투의 일부일 뿐이라는 것을 알 수 있다. 게다가 그는 '나도'라는 표현으로 글을 시작했다. 이는 자기만 아픈 것이 아니라 아끼는 부하들도 다쳤다는 뜻이며, 동시에 자신의 아픔은 그들에 비해 별것도 아님을 전하는 것이다. 이 한 줄에 정말 수많은 이야기와 감정이 녹아 있다. 우리가 발견해야 할 것은 단어 그 자체가 아니라 그 안에 존재하는 수많은 감정의 파편이다.

그 모든 것을 발견해서 하나로 조립하면, 비로소 우리는 그가 마지막 전투에서 죽음을 직감하며 남겼던 "내가 죽었다는 사실을 절대로 알리지 말라"라는 말을 어떤 마음으로 했는지 알 수 있게 된다. 그는 적과 싸우는 그 긴 시간 내내 자신의 죽음마저 전투의 일부이자 과정이라고 생각했다. 죽음을 각오한다는 그의 말은, 그 한 줄을 제대로 이해한 후에야 비로소 가슴 깊이 느낄 수 있다. 모르고 읽는 것과 알고 읽는 것은 매우 다르다. 그 엄청난 격차는 언제나 한 줄에서 시작한다. 한 줄의 위대함을 자주 경험하면 당신의 일상이 기적처럼 다채로워질 것이다.

"일상을 바꾸는 데
한 줄이면 충분하다."

스키마의 속박에서 벗어나라

인간은 머릿속에 있는 지식과 정보를 정형화하려는 경향이 있다. 심리학에서는 이를 '스키마 scheme'라고 하는데, '인간이 경험을 통해 체득한 지식의 모듈(기능 단위)'이라 정의하고 있다. 쉽게 말하면, 과거에 먹었던 과자를 보며 '아 저 과자는 달콤했어'라고 예상하는 현상을 말한다. 이런 현상은 우리의 삶에서 매우 자주 일어난다. 저마다 크기와 디자인이 다르지만 아무런 설명을 듣지 않아도 우리는 도로를 달리는 물체가 '자동차'라는 사실을 알고 있다. 자동차와 오토바이, 자전거를 구분할 수 있는 것도 마찬가지로 스키마 현상의 덕이다. 스키마 현상은 인간에게 많은 편의를 제공한다. 굳이 설명하지 않아도 과거의 경험과 지식의 주입을 통해 서로 대상을 숙지한 채 대화와 일을 시작할 수 있기 때문이다.

그런데 문제는 이런 스키마 현상으로 인하여 아무런 검증 없이 사물을 판단하게 된다는 것이다. 사람들이 '틀림없이 ~이다'라는 표현을 쓰며 강력하게 자신의 의견을 내세우게 만드는 것도 이 때문이다. 예를 들어 쌀 가격이 너무 올라서 서민들이 사기 버거운 상황에 놓이면 그들은 "무조건 쌀 가격을 내려라"라는 추론만 하게 된다. 그 산업에 종사하는 사람과 각종 원칙을 싹 무시한 채 생각의 폭을 스스로 협소하게 만들어 버려 추론의 폭도 몹시 좁아지게 된다. 이렇게 섣부른 단정을 하는 사람은 아무리 상황이 달라지고 세월이 흘러도 하나의 답만 가지고 살게 된다.

강력한 스키마를 가진 사람은 자기 의견과 다른 생각은 아예 듣지 않으며 수용하지 않는다. 동시에 자신의 스키마와 일치하는 정보만 찾게 되고, 아무것도 찾지 못하더라도 자신이 추구하는 스키마와 일치되도록 진실을 왜곡하기도 한다. 물론 누구나 스키마를 가지고 있고, 세상을 살아가는 데 일정 부분의 스키마는 필요하다. 하지만 중요한 것은 그것이 어떤 것인가를 파악하고, 논리적인 사고를 해야 할 때마다 혹시 자신이 스키마의 방해를 받고 진실을 왜곡하고 있는 건 아닌지 자신을 돌아볼 수 있어야 한다는 사실이다. 쉽게 말해 "나는 알고 있다"라고 말할 때와 "나는 모른다"라고 말할 때를 구분할 수 있어야 한다.

그런 능력을 갖추지 못한 사람에게는 일상에서 최악의 사건이 자주 일어난다. 이런 스키마 현상의 폐해는 위급 상황에서 더욱 잘 나타난다. 각종 사고나 사건이 발생할 때마다 참 부끄러운 일이지만 책임자들은 마치 판에 박은 듯 같은 말만 늘어 놓는다.

"갑작스러운 재해 상황에 어떻게 대응해야 하는지 지침이 마련되어 있지 않습니다. 오늘의 경험을 거울삼아 모든 상황을 상정한 위기관리 대응 지침서를 만들어 놓겠습니다."

이는 상당히 무책임한 말이다. 모든 위험 상황을 하나하나 겪어야만 각각의 상황에 맞는 지침서가 마련된다는 것을 의미하기 때문이다. 언제 일어날지 모를 예측 불가능한 재해 상황을 미리 내다보는 사고를 갖추지 않고, 최악의 경험을 교재 삼아 대책을 마련하는 현상은 스키마 현상이 사회에 너무 깊게 자리 잡았기 때문에 일어난 결과다. 모두가 생각하고 있지만 아무도 생각하지 않고 있다. 감정이입의 실패와 작동하지 않는 생각이 이끄는 결론은 결국 '어떻게든 되겠지'라는 변하지 않는 막연한 희망이다.

이런 문제를 해결해서 생각을 가동하기 위해서는 객관적 사실과 자신의 의견을 구별해야 한다. 이때 주어를 명확하게 사용하는 게 좋다. "당분간 투자는 하지 않는 게 좋다고 합니다"라는 식의 표현을 자주 사용하는 사람이 있다. 자신이 제안하고 있음에도 누군가의 의견이라는 형태로 표현하는 방식이다. 이러한 표현은 객관적 사실과 자신의 의견이 구별되지 않아 무엇을 말하고자 하는 것인지 선명하지 않게 된다. 객관적인 사실과 자신의 의견을 분리시키는 것이 중요하다. "나는 시장의 미래를 어떻게 생각하는가?", "시장의 트렌드는 지금 어떻게 흘러가고 있는가?", "같은 업종에 종사하는 사람들은 내 의견에 대해 어떻게 생각하는가?" 이런 방식의 질문으로 사실과 의견을 분리하면, 타인의 의견은 사라지고 자신이 바라보는 대상과 수치가 분명해지므로 스키마 현상에서 빠져나올 수 있다

"흔들리지 않는 시선이
선명한 내면을 만든다."

문해력 공부

의견을 만드는 시 읽기

〰〰〰〰〰〰〰〰〰〰〰〰〰〰〰〰〰〰〰〰〰〰〰〰〰〰〰〰〰〰

사실과 의견을 분리하는 연습을 통해 스키마 현상에서 빠져나왔다면, 이번에는 '나의 의견'이라고 말할 정도로 강력하게 무언가를 주장할 수 있게 상황을 입체적으로 관찰하고 분석하는 과정이 필요하다. 일단 질문 연습을 해보자. '성취'에 대한 키워드를 던져도 이렇게 다양한 질문이 나올 수 있다.

"결과를 내는 사람은 어떻게 생각하는가?"

"결과를 낼 것 같지만 결국 내지 못하는 사람에게 부족한 것은 무엇인가?"

"결과를 낼 능력이 없는 직원에게 도움이 될 조언은 무엇이 있는가?"

"기대하는 결과 그 이상을 만들어 내는 사람에게는 어떤 비밀이 있는가?"

"내가 결과를 내는 방법과 그가 결과를 내는 방법에는 어떤 차이가 있는가?"

질문은 끝이 없다. 그래서 우리가 얻어낼 영감도 끝이 없다. 질문할 수 있다면 한 문장에서도 한 권이 주는 지식과 정보를 얻어낼 수 있다.

그 중 최고의 재료는 역시 시다. 시는 매우 많은 비유와 은유가 압축된 글이기 때문에 얼마든지 다양한 방향으로의 연결이 가능하다. 안도현의 〈너에게 묻는다〉라는 시는 매우 많은 사람이 아는 시 중 하나다. 정말 섬세하게 반복해서 읽어 보자.

연탄재 함부로 차지 마라.
너는 누구에게,
한 번이라도 뜨거운 사람이었느냐.

이제 다음 4단계 과정을 통해 '나의 의견'을 만들어 내는 연습을 해 보자.

단어 하나하나에 집중하며 읽기 시인은 필요 없는 단어와 표현은 극도로 자제하며 최대한 쓰지 않고 반복해서 압축한다. 단어 하나하나에도 매우 많은 의미가 있으니 쉽게 넘어가지 말고 집중해서 읽자.

문해력 공부

의견을 일치해야 하는 상황에서 벗어나기 무리에서 빠져 나와서 자신의 눈으로 사물을 바라보자. 많은 사람이 〈너에게 묻는다〉라는 시에서 연탄을 열정의 상징으로 생각한다. 그럼 이렇게 질문할 수 있어야 한다. "연탄은 어떻게 뜨거워질 수 있을까?" 세상에 혼자 뜨거워질 수 있는 것은 없다. 반드시 누군가의 도움이 필요하다.

보이지 않는 부분을 발견하기 겉에서 안으로 안에서 겉으로 반복해서 바라보자. 모든 물체와 사람 그리고 상황을 입체적으로 느끼며 관찰하자. "연탄이 뜨겁게 타오르는 장소는 어디인가?" 그럼 화로를 떠올릴 수 있다. 누군가 자신의 열정을 세상에 보여주기 위해서는 아무도 모르는 장소에서 희생하는 누군가의 귀한 마음이 필요하다.

일상의 상황에 적용하기 읽는 시간보다는 생각할 시간을, 생각할 시간보다는 실천할 시간을 더 자주 갖자. 그래야 비로소 나의 의견을 만들어낼 수 있다. 직장이나 조직에서 처음 일을 시작한 사람은 대개 상사를 위해 일하게 된다. 그때 "나는 언제쯤 나의 일을 할 수 있을까?"라는 생각에 자괴감을 가질 수 있고, 그 생각이 반복되면 의욕을 잃게 된다. 하지만 연탄이 화로의 희생으로 세상에 나가 자신의 열정을 보여준다는 것을 알게된 후에는 조금

3장. 언어가 곧 나의 세계다

은 다르게 생각할 수 있다. "누군가를 돕는 일은 사실 나의 일은 아니다. 하지만 그가 세상에 설 수 있게 도와주다 보면 한 사람이 어떤 방법으로 비상하는지 그 과정을 알 수 있다." 이렇게 만든 나의 의견은 자신의 삶에 좋은 영향을 미친다.

"섬세하게 반복해서 읽으면
진짜 풍경이 보인다."

문해력 공부

자기 삶의 주인을 만드는
3단계 사색

"그게 만약 사실이라면", "그 사람의 말(책)에 따르면"

물론 간혹 어쩔 수 없이 다른 사람의 의견을 근거로 자기주장을 해야 할 때도 있다. 그런데 '다른 사람의 의견'을 근거로 하면서 그걸 자기주장이라고 말한다는 것은 사실 부끄러운 일이다. 에스엔에스만 봐도 갖가지 정보를 제공하는 사람 수가 날마다 급격히 늘어나는 것을 볼 수 있다. 세상에 지식이라는 이름표를 달고 나온 것들을 보면, 자기 생각을 여러 가지 방법으로 검증하고 일상에 적용해 본 사람이 많아서 그 수가 늘어난 것이 아니라, 되레 철저한 분석과 판단의 과정을 거치지 않은 채 설익은 상태로 나온 것들이 많아져 깊이는 없고 단순히 숫자만 늘어난 건 아닐까?

우리가 그런 세상에 사는 이유는 읽지 않아도 괜찮고, 이해하지 않아도 괜찮은 세상에 살기 때문이다. 소수의 읽는 자가 읽어야 할 책을 대신 읽어 주입하기 좋게 가공해서 책이나 강연을 통해 전달하고, 소수의 이해한 자가 앞에 서서 이해한 것을 전파하며 그걸로 먹고산다. 1년 내내 읽어야 할 작품을 누군가 찍은 10분짜리 유튜브 영상으로 대신하고, 최소한 열 번은 반복해서 읽어야 그 안에 녹아 있는 의미를 발견할 수 있는 글을 누군가 요약한 책을 통해 머리에 넣는다면, 그걸 과연 '나의 것'이라고 부를 수 있을까?

모든 생각이 좋은 것은 아니다. 세상에는 좋은 생각이 있고, 버려야 할 나쁜 생각도 있다. 좋은 생각은 듣기만 해도 기분이 좋아지며 희망을 품게 되는 생각이고, 나쁜 생각은 반대로 듣기만 해도 기분이 상하는 말이며 불행을 초래하는 생각이다. 좋은 생각은 우리가 살아가는 일상 곳곳에 등장해 우리를 깊은 사색의 공간으로 안내한다. 좋은 생각이 귀한 이유는 우리를 자기 삶의 주인으로 만들기 때문이다. 좋은 생각은 우리에게 스스로 관찰해서 검토하는 기쁨과 필요 없는 지식을 걸러내어 본질을 빛나게 하고 동시에 행복을 준다.

"왜?"라고 물어보고, 근거를 자주 세워 보라. 우리의 생각은 자신의 주장에 대한 근거를 제시하려고 할 때 가장 활발하게 작동한다. 일상에서 만나는 모든 현상에 질문을 던지자. 인간은 자유롭게 살아야 한다고 생각만 하지 말고 "왜 인간은 자유로운 삶을 살아야 하나?"라고 묻자. 그럼 그래야만 하는 근거를 생각하게 되며 자신에 대해 더욱 잘 알게 되는 계기를 만날 수도 있다. 그냥 넘어가지 않고 묻고 근거를 세우는 행위로 우리의 생각은 더욱 멋지게 다듬어진다.

용감하게 그러나 겸손하게 바라보라. 뭔가 주제를 던지면 바로 근거를 쉽게 만들어 내는 사람이 있는가 하면 더 많은 것을 알고 있지만 근거를 제대로 만들지 못하는 사람이 있다. 그들이 자신의 지성을 제대로 사용하지 못하는 이유는 지나치게 겸손하기 때문이다. 생각의 주인이 되기 위해서는 2개의 덕목이 필요하다. 하나는 무언가를 주장할 용기, 또 하나는 내가 틀릴 수도 있다는 겸손한 자세다. 둘 다 필요하지만 가장 나쁜 경우는 모두 없을 때가 아니라 하나만 가지고 있을 때다. 용기만 있어도, 반대로 겸손하기만 해도 안 된다. 가끔은 무례할 정도로 자신을 주장하며 나가야 할 때도, 솔직하게 틀린 것을 인정하는 자세도 필요하다.

해석의 싸움에 뛰어들어라. 이제 남은 것은 실전이다. 일상에서 만나는 모든 문제에 질문을 던지며 용감하게 때로는 겸손한 자세로 질문의 근거를 주장할 준비를 마쳤다면 이제 그것을 실천하면 된다. 모든 주장의 근거는 각자의 삶에만 맞는 개별적인 이유에서 나온 것이라 결국 해석의 싸움이다. 상대의 의견과 주장을 한 줄 한 줄 읽고 해설하면서, 그 의미와 한계를 따져 물어라. 이런 방식의 사색을 거쳐 우리는 무엇을 검색해야 하는지 알게 되고, 왜 그것을 사색해야 하는지 깨닫게 되며, 세상을 관통하는 탐색이 어디에서 어떻게 시작되는지 알게 된다.

우리는 언제나 우리 자신으로 살아야 한다. 그래야 무엇을 추구하며 살아야 하는지 깨닫게 된다. 삶의 결말은 아무것도 정해져 있지 않다. 지금 여기에서 우리는 자기 삶의 결론을 써나가고 있다는 생각으로 '내 생각', '내 원칙'을 하나하나 만들 필요가 있다. 이에 철학자 푸코는 말한다.

"자유를 훌륭히 실천하기 위해 희랍인은 자신에게 전념하고 자기를 배려해야 했다. 자신을 알기 위해, 자신을 형성하고 또 자신을 극복하기 위해, 사람을 몰아세울 위협을 지닌 충동들을 자신 안에서 다스리기 위해서였다."

결국 용기가 필요하다. 세상이 명령한 것을 그대로 받아들인 생각은 우리의 의지를 뺏어 마침내 노예로 전락시킨다. 삶의 주인으로 살게 만드는 근사한 생각을 자주 하려면 일상에서 만나는 아주 사소한 것들에 대해서도 스스로 성찰하고 경탄해야 한다.

읽히는 언어 너머의 세계를 보라

언어는 편리한 감정의 설명서다. 상대가 구사하는 언어와 선택한 단어를 들으면 그가 지금 어떤 상태인지 짐작할 수 있다. 조금 더 분명하게 표현하면 언어는 쉽게 인간의 상상력을 제한해 모두 같은 생각을 하도록 유도하는 최악의 발명품일 수도 있다. 우리의 삶은 사색으로 하늘을 날 수 있지만, 언어로 인해 땅으로 추락하기도 한다. 언어는 과학적이며 동시에 제한적이라 인간의 상상을 쉽게 허락하지 않는다. 그러나 희망은 있다. 쉽게 허락하지 않는다고 했지, 아예 불가능한 것은 아니기 때문이다.

언어 너머의 세계를 보려면, 먼저 언어의 성에 갇혀 편안하게 살아가는 삶에서 탈출하라. 그래야만 언어가 우리를 위협하며 날리는 고정관념이라는 화살에 맞지 않을 것이고, 더 이상 세상이 정의한 것에 따라야 한다며 휘두른 칼도 잡을 필요가 없게 될 것이다. 언어의 성에서 벗어나 있는 그대로의 언어를 느끼고 자기만의 방식으로 사용하라.

이것은 철학적인 어려운 이야기가 아니다. 우리가 살아가는 일상에서 언제나 마주치는 것들이다. 이를테면 '마케팅'에 대한 생각을 나는 최근 이렇게 바꿨다.

하루는 출판 담당 편집자와 미팅을 했다. 실은 그날 나는 원고 계약을 파기하려고 그를 만난 것이었다. 나를 담당했던 사람이 퇴사한 상황에서 후임자로 들어온 그와 나는 안면이 없었기에, 믿고 일을 진행할 수 없다고 느꼈다. 그런데 나는 그를 만나고 생각을 바꿀 수밖에 없었다. 처음 만난 자리임에도 자신이 최근에 만들었던 책을 설명하는 모습이 정말 근사했다. 그 책은 평소 흥미가 없던 주제를 다루고 있었지만, 내 앞에 앉은 그가 자신이 만든 책에 대한 믿음을 전파하는 1분간의 열기로 모든 게 변하고 말았다. 나는 겨우 1분이라는 짧은 시간에 그 책을 당장 읽고 싶다는 강한 열망을 느꼈다. 심지어 미팅을 마치고 그날 하루 동안 무려 5명에게 그 책을 추천했다. 추천하는 일, 특히 책에 관해서는 다소 부정적인 생각을 가졌던 나의 태도까지도 바뀌고 말았다. 맞다. 나는 단 1분 만에 그를 위해 무료로 일하는 충실한 마케터가 된 것이다. 설명하는 방식만 달라져도 그 장소를 둘러싼 온도를 바꿀 수 있고 완강했던 기존의 생각조차 바꿀 수 있다.

그렇게 나는 '마케터'라는 세상이 정한 언어의 의미를 완전히

문해력 공부

새롭게 깨닫게 되었다. 내가 정의한 마케터는 제품을 파는 사람이 아니라, 제품의 가치를 누구보다 가장 철저하게 믿고 사랑하는 사람이다. 어떻게든 파는 사람은 실패하지만, 사랑할 수밖에 없는 강한 믿음은 세상이 아무리 방해해도 실패하지 않을 것이다.

마케터는 따로 존재하지 않는다. 기획자나 제작자도 자신이 설계하는 제품을 사랑하고 믿으면 바로 위대한 마케터가 될 수 있다. 그런 생각의 과정을 거치며, 세상과 다른 마케팅 철학이 생겼다.

언어는 서로 다른 세상이 서로에게 관여하고 교류하며 매 순간 바뀌어 그 생명력을 키워나간다. 같은 단어를 1년 이상 같은 의미로 사용하고 있다면 둘 중 하나다. 남들과 구별되지 않는 죽어버린 일상을 살고 있거나, 세상의 명령을 그대로 따르는 노예가 되었거나.

읽히는 언어 너머의 세계를 보라. 거기에는 언제나 새로운 세계가 태어나고 있다. 바라보면 보이지만 눈을 감으면 존재하지 않는다. 눈을 떠라, 그것이 가능성의 시작이다.

"읽히는 언어 너머의 세계를 보라."

당신의 공간을
근사한 텍스트로 채우라

법원 근처에는 카페가 많다. 각종 소송으로 상담을 하거나 소송을 준비하는 사람, 통화하는 사람이 많기 때문이다. 그래서 유독 법원 근처 카페에는 얼굴이 벌겋게 달아오른 사람이 많다. 비명에 가까운 소리를 지르며 상대를 협박하고 비방하고 비난한다. 법원 근처 카페에 앉아 있으면, 세상에 종말이 닥친 것처럼 살기 위해 치열하게 싸우는 사람만 보인다.

공간이 우리에게 주는 영향은 매우 크다. 아무리 선한 마음으로 사는 사람도 법원 근처 카페에서 하루 1시간 매일 앉아 있으라고 하면, 일상을 대하는 태도와 생각하는 방향이 완전히 달라질 것이다. 믿음보다는 불신, 가능성보다는 불가능성의 유혹에 넘어가는 사람으로 바뀔 것이다. 인생을 바꾸려면 가장 먼저 자신이 가장 자주 오래 존재하는 공간에 변화를 줘야 한다.

인간의 생각은 공간을 바꿀 수 없지만, 공간은 인간의 생각을 쉽게 바꿀 수 있다.

내가 주로 머무는 공간에는 책이 많다. 그래서 책과 텍스트를 대하는 내 자세는 아주 특별하다. 서점에서 책을 펼쳤다가 접힌 부분이 보이면 늘 예쁘게 펴주고 "허리 펴고 살아라"라고 속삭인다. 그렇게 차마 돌아서지 못하고 꼭꼭 눌러 접힌 허리를 곱게 펴준다. 나는 데려가지 않아도 다른 사람에게는 예쁘게 보여서 그와 함께 가길 바라는 마음을 전한 후에야 마치 이별하는 사람처럼 시점에서 나온다. 나는 감성적인 것이 아니라 그저 내가 가장 자주 접하고 나를 존재하게 만들어 주는 것들에게 느낀 애정을 그대로 전하며 살고 있는 것이다. 텍스트를 제대로 읽고 싶다면 먼저 충분한 이해로 쌓은 애정이 필요하다. 곁에 최대한 많은 책을 두라. 텍스트를 대하는 마음이 조금씩 달라질 것이다.

무소유를 실천하며 누구보다 공간에 대한 이해가 높았던 법정 스님은 입적하기 전, 마지막으로 이런 말을 남겼다.

"이제 공간을 버려야겠다."

그는 좋은 사람과의 관계를 귀하게 생각하던 사람이었다. 공간을 버리겠다는 말은 자신의 존재와 관계까지도 모두 놓겠다는 것을 의미한다. 사람과의 관계도 하나의 공간이기 때문이다. 누구나 자신이 원하는 공간을 가질 수는 없다. 원하는 공간으로 이동할 수 없다면, 지금의 공간에서 할 수 있는 것을 원하라. 그것이 바로 관계다.

르네상스를 대표하는 천재적인 예술가 레오나르도 다빈치는 "세상에는 세 종류의 사람이 있다"라고 말했다. 하나는 보려는 사람이고, 또 하나는 보여주면 보는 사람, 마지막은 아무리 보여줘도 안 보는 사람이 그것이다. 주변에 아무리 근사한 것을 보여줘도 안 보는 사람만 가득하다면 시간이 흐른 후 자신도 그렇게 될 가능성이 정말 높다. 나쁜 것은 쉽게 전염되기 때문이다. 주변에 늘 무언가 보려는 사람을 두라. 세기의 창조자 다빈치 역시 그 중요성을 알고 있어서 평생을 그렇게 살았다. '몸이 머무는 공간'과 '만나는 사람과의 공간'을 당신이 원하는 목적에 맞게 바꾸라. 아무도 바라보지 않을 때 여기 뭔가 있다는 생각으로 유심히 바라보며 몰입하는 사람을 곁에 두라.

> "가능성을 믿는 사람에게는
> 모든 것이 근사한 텍스트가 된다."

하나에서 여러 갈래를
발견하는 관찰법

: 문해력을 높이는 '낯설게 하기' 기법

'낯설게 하기'에 관한
철학적 시선

창조는 인간의 상상력에서 나오고, 감상은 인간의 이해력에서 나온다. 우리가 현실에서 자주 볼 수 있는 창조의 가치는 결국 대중의 이해의 정도로 결정된다. 그래서 때를 만나야 성공할 수 있다는 말이 나온다. 너무 앞서가도 너무 늦게 찾아와도 대중과 발을 맞출 수가 없다. 아무리 재능 있는 사람도 혼자 오래 걸어가면 지쳐서 포기하게 된다. 그래서 나는 대중의 의식을 이끌기 위해서는 그들보다 반걸음쯤 앞서 나갈 정도의 안목이 있어야 한다고 생각한다. 새로운 건 모두 익숙한 것을 낯설게 만들며 창조된다. 다만 대중적인 것이 되려면 살짝 낯설게 만들어서 호기심을 자극할 여지를 줘야 한다. 흔들리며 돌아가는 이 세상을 제대로 살아가기 위해, 자신의 창조력 수준을 반걸음 앞서 나가게 하려면 익숙한 것을 낯설게 하는 힘이 필요하다.

가장 먼저 찾아야 할 것은 스스로 잘 모른다고 생각되는 장소와 그런 대상이 많은 공간이다. 우리 스스로 평가할 수 있는 것으로부터 새로운 것을 배우기란 힘들다. 당신이 무언가를 평가한다는 것은 둘 중 하나에 속한다는 사실을 의미한다. 하나는 그것을 안다는 것, 다른 하나는 그것을 아는 척한다는 것이다. 그것이 무엇이든 둘 다 스스로에게 전혀 도움이 되지 않는 태도다. 그러므로 무언가를 대할 때, 그것이 책이든 물건이든 자연의 일부든, 마치 처음 대하는 것처럼 새롭게 보라. 매일 일상에서 수많은 것을 보며 살지만 그것들로부터 어떤 영감이나 자극을 받지 못하는 이유는, 이미 그것을 충분히 안다고 생각하기 때문이다. 안다고 생각하는 순간 영감의 출입문은 굳게 닫히고, 평가의 출입문이 열린다. 그렇게 우리는 스스로 창조한 것 하나 없는, 누구도 그의 말에 귀를 기울이지 않는 심사위원의 삶을 산다.

지식의 통로를 활짝 열자. 사람은 스스로 아는 것이 없다고 생각할 때 영감의 출입구를 열 수 있으며, 진정으로 무언가를 받아들일 수도 있다. 낯설게 하기는 어려운 것이 아니다. 그것이 어렵게 느껴지는 이유는 여전히 무언가를 배워서 이루려고 하기 때문이다. 안다는 생각과 알아야 한다는 생각 자체를 버리자. 자꾸만 배워서 무언가를 해결하려고 생각하지 말라. 그건 자신이 안다는 사실을 버리지 않고 새로운 것을 얻겠다는 교만한 마음에서 우러나오는 감정이다.

쉽게 보자. 그냥 저절로 알게 되는 것을 버리면, 세상은 새로워진다. 폼 잡지 않기로 하면, 새로운 폼을 얻을 수 있는 것과 같다.

"장미는 아름답다."

"아름다운 꽃의 대명사는 장미지."

"장미의 아름다움은 어디에서 시작하나?"

세상에는 장미를 보는 각종 시선이 있다. 내게는 이 모든 시선이 매우 식상하며, 낯설게 하기에 걸맞지 않게 느껴진다. 아는 것을 제대로 버리지 못했기 때문이다. 장미라는 이름도 아름다움이라는 기준도 모두 세상의 것이며 세상에서 배운 지식이므로 다 버리고 바라봐야 한다. 나는 그 순간을 이렇게 간단하게 표현한다.

"너를 본다."

내가 장미를 너라고 부르면 이제 내게 장미는 매우 다양한 대상으로 다가온다. 고정관념을 탈피했기 때문이다. 그는 때로 사랑스러운 연인이 되기도, 이별을 앞둔 말기 암환자가 되기도, 보기만 해도 편안한 친구가 되기도 한다. 그 수많은 인물과 환경의 변화를 느끼며 나는 영감의 혼란 안에서 가장 내게 맞는 것을 하나 선택해서 사색에 잠긴다. 장미라는 이름과 아름답다는 감정을 버리고 다가가면, 이제 그것은 내게만 존재하는 새로운 자연이 되어 다가온다. 그처럼 낯설게 보기 위해서 우리에게 필요한 하나의 정신은, 아무것도 아닌 것에 대한 사랑이다. 그것이 평범한 우리를 창조의 대가大家로 만들어 준다. 아무것도 아닌 사람이 아무것도 아닌 것에 대한 사랑을 느낄 때 비로소 천재가 될 수 있는 새로운 영감을 얻게 되는 것이다. 그 무언가가 될 수 있는 방법은, 언제나 아무것도 아닌 것에 있다.

그러나 이를 얻기 위해서는 특별한 마음이 필요하다. 이를테면 나는 글쓰기가 쉬운 일이라고 생각한다. 하지만 다들 이를 어려운 일로 여긴다. 생각의 차이는 뭘까? 간단하다. 나는 10시간을 글에 투자해 나온 10줄에 만족하며 그 가치를 느끼지만, 보통은 앉아서 1시간 남짓 들여 멋진 글이 나오길 기대한다. 더 많은 시간을 할애해야 남보다, 지금보다 더 나은 결과를 얻을 수 있음을 기억하자. 시간을 투자해서 바라본 만큼 대상은 우리에게 더 새롭고 깊은 자신의 내면을 허락할 수 있다.

"시선에는 일생을 바꾸는 힘이 있다."

천재도 성장시키는
'지적 관찰 읽기'

율곡 이이의 호칭은 천재, 학자, 정치가, 성인, 효자, 충신 등 매우 많다. 그중 우리가 주목할 부분은 3가지가 있다. 하나는, 한 번 하기도 힘든 과거에 무려 9차례나 장원급제한 인물이라는 사실이다. 또 하나는 그가 집필한 책이 왕과 신하들이 공부하는 교재로 쓰일 정도로 수준 높은 학식과 견해를 갖고 있었다는 것이며, 마지막 하나는 그가 당시 왕이 들어야 할 말을 당당히 전했던 인물이라는 사실이다. 그는 '입사 2년 차' 시절에 절대 권력을 행사하는 임금에게 이런 내용이 적힌 상소를 올렸다.

"국가 비용을 절약하여 세금을 줄여야 백성의 부담을 없앨 수 있습니다. 그리고 관청에는 꼭 필요한 사람만 두어 쓸데없는 지출을 줄여야 합니다."

그는 한결같이 이런 내용의 상소를 임금에게 올렸다. 아무리 옳은 소리를 해도 임금 마음에 들지 않으면 바로 귀양을 갈 수도 있는 시대였지만, 그는 국가와 백성을 아끼는 마음에서 나온 조선의 문제점을 임금에게 낱낱이 고했다.

그는 시험에 강했으며, 할 말은 하는 내적으로나 외적으로 모두 단단한 면모를 갖춘 사람이었다. 서로 다른 내용이라고 볼 수도 있는 이 사실이 나는 하나의 경쟁력에서 나왔다고 생각한다. 그건 바로 '상황을 제대로 읽는 능력'이다. 그는 책을 잠시만 읽어도 남보다 많은 것을 발견했고, 타인의 마음을 읽을 때도 마찬가지로 짧은 시간에 많은 것을 읽어냈다. 그가 임금 앞에서도 당당하게 말할 수 있었던 이유는, 그게 백성에게 반드시 필요하다는 사실을 잘 알고 있었기 때문이다. 말해야 하는 이유를 분명히 아는 사람은 어떤 상황에서도 입을 열게 된다. 입 안에 담은 말의 가치를 알고 있기 때문이다. 그는 책과 세상 그리고 백성의 마음을 제대로 읽을 줄 아는 사람이었다. 그를 부르는 모든 호칭의 중심에 "지적 관찰 읽기의 대가"라는 표현을 둬야 그의 능력과 재능을 제대로 볼 수 있다.

율곡이 남긴 다음 문장을 섬세하게 분해하며 읽으면 그의 경쟁력을 더욱 선명하게 파악할 수 있다.

"앉아서 글만 읽는 행위는 쓸데없는 일이다. 독서는 일을 잘하기 위해서 하는 것이다. 일이 없으면 그냥 글을 읽겠지만, 일이 있을 때 나는 옳고 그름을 분간해서 일을 완벽하게 처리한 뒤 글을 읽는다."

율곡은 사는 내내 많은 시간을 투자해서 책을 읽었다. 오죽하면 "독서는 죽어서야 마침내 끝난다"라는 말을 남겼을 정도다. 그런 그가 앉아서 읽기만 하는 행위는 쓸모없다고 말한 이유는, 독서는 반드시 자기 일을 제대로 처리하는 데 직접적인 도움이 돼야 한다고 생각했기 때문이다.

조선 시대 최고 학자이자 천재, 율곡의 학문적 성과는 '관찰하는 읽기'에서 비롯되었다. 많은 사람이 그의 삶에서 공부에 도움이 되는 조언을 추출한다. 하지만 그의 인생 전체를 봤을 때, 그를 공부로 이끈 건 '관찰 읽기'였다. 한국 최고의 지성인이었던 그가 읽은 것은 책에만 그치지 않았다. 세상과 사람 등 주변에 존재하는 모든 것들을 책처럼 활짝 펼친 후, 충분히 관찰하며 자신의 것으로 만들 때까지 읽었다.

우리가 그에게 배울 것은 '율곡의 공부법'이 아니라 '율곡의 지적 관찰 읽기'라고 볼 수 있다. 그의 경쟁력을 흡수하려면 그가 남긴 모든 조언을 관찰하는 읽기의 눈으로 바라봐야 한다. 그의 삶을 분석하며 나는 다음 9가지 지적 읽기 관찰법을 발견했다.

뜻을 세워라. "왜 관찰하고 읽어야 하는가?"라는 질문이 가장 먼저다. 이 질문에 답할 수 없다면, 어떤 위대한 책도 그저 종이와 글자의 연속일 뿐이다. 반대로, 읽어야 하는 이유를 답하면 뜻은 저절로 세워진다. 그 순서를 마음에 새기자.

공경하는 마음으로 읽자. 율곡이 그랬던 것처럼 마치 부모님을 대하듯 정성을 다해 책에 다가가야 한다. 책 내용의 부족한 부분이나 비난할 점을 찾으려는 것은 도리어 관찰 읽기를 방해한다. 마음을 다해 읽으려는 자세를 취하면, 책도 자신을 허락한다.

오래된 나를 벗어나라. 인간은 자꾸만 익숙한 과거로 돌아가려고 한다. 그 어리석은 마음이 힘들게 관찰하며 읽은 것을 마음에 남지 못하게 만든다. 마음을 하나로 집중하여 문장이 전한 의미에 몰입하라. 그렇게 다른 사람이 되어 읽는다고 생각해야 오래된 자신에게서 벗어날 수 있다.

반듯한 몸과 마음을 유지하자. 몸을 이리저리 흔들거나 정신 없이 손가락을 움직이는 사람은 제대로 관찰하고 읽을 수 없다. 그 사람 내면에서도 같은 일이 일어나고 있을 가능성이 높기 때문이다. 반드시 단정한 모습으로 바로 앉아서 읽어야 한다.

절박한 태도를 유지하라. 무언가를 관찰할 때는 "내가 여기에서 반드시 뭔가를 찾겠다"라는 간절한 심정으로 해보자. 그냥 시간이나 보내려는 마음으로 잡은 책은 실제로도 그냥 시간만 보내게 도와준다. 책은 처절할 정도의 지극한 정성을 들여야 한다.

분야를 가리지 말고 읽어라. 분야를 제한하는 것은 자신의 시선을 제한하는 것과 같다. 제한을 두지 말고 읽어라. 과학 문제에 대해서 고민하고 있다면 어떤 책을 읽어도 그 안에서 과학을 발견할 것이다. 과학책에서 발견한 과학은 새롭지 않고 나의 것도 아니지만, 다른 영역에서 발견한 것은 새로운 나의 지식이 될 수 있다. 매우 중요한 부분이다.

질문하며 읽어라. 율곡은 평생 "우리는 어떻게 살아야 하는가?"라는 질문을 하며 살았다. 어떤 책을 읽든 같은 방식의 질문을 반복해서 던졌다. 그러므로 그는 수많은 분야에서 삶의 길을 발견할 수 있었다.

무엇에도 얽매이지 말라. 율곡은 하나의 지식에 얽매여 살지 않았다. 하나의 지식은 그에게 다음에 만날 지식과 연결할 대상이었다. 무엇에도 얽매이지 않아서 누구보다 자유롭게 읽을 수 있었다. 물론 그런 일상은 그냥 주어지지 않는다. 책의 내용을 농밀하게 사색하고, 가장 적절한 의미를 찾는 과정을 반복해야 얽매이지 않는 자신을 만들 수 있다.

이기는 게 아니라 돕는 거다. 율곡이 임금에게 늘 백성과 나라를 위해 필요한 내용이 적힌 상소를 올린 것처럼, 우리가 읽은 내용은 우리에게 실천할 사항을 알려줄 수 있어야 한다. 그러기 위해서는 관찰하고 읽어야 하는 이유에 대한 원칙이 필요하다. 율곡의 근본적인 이유는 도움을 주려는 마음이었다. 나라와 백성을 위한 정책을 추진할 수 있었던 이유도 거기에 있다. 도움을 주려는 마음으로 읽으면 당신이 읽은 그것이 저절로 실천할 것을 알려줄 것이다.

율곡의 관찰 읽기는 다른 사람들의 그것과는 깊이와 섬세함이 달랐다. 그는 자신이 펼친 세상에 존재하는 단어와 먼지 하나까지 세세히 바라보고 연구한 후에 "이것을 알게 되었다"라고 말했다. 의심이 들지 않을 때까지 관찰을 멈추지 않았다. 그가 백성의 어려움을 세세하게 파악할 수 있었던 것도 특유의 관찰 읽기법에 있었다. 하나를 제대로 이해한 사람은 굳이 많이 읽을 필요가 없다. 완벽하게 이해한 그 하나에서 수많은 갈래로 나뉜 생각의 줄기가 세상에 퍼져 짐작할 수 없는 위대한 것을 가져다주기 때문이다.

문해력 공부

괴테는 왜 셰익스피어의 책을
1년이나 읽었나

괴테에게 "당신은 멘토는 누구입니까?"라고 물으면, 대번 그는 고압적으로 이렇게 응수할 것이다.

"내게 멘토 같은 건 없다. 나는 그저 나의 삶을 살았으니까."

실제로 그는 자신에게 주어진 재능을 자신이 원하는 방향에 맞게 사용하며 평생을 살았다. 하지만 그런 그에게도 딱 한 명 '심취했다'라고 표현할 정도로 마음의 중심에 둔 인물이 하나 있었다. 바로 셰익스피어이다. 그는 유일하게 자신이 심취한 인물 셰익스피어의 작품에 대해 이렇게 말하며 텍스트를 제대로 읽는 것이 얼마나 중요한 일인지 언급한다.

"시를 시답게 만드는 운율이나 각운을 존중하지 않는 것은 아니지만, 원래 내면에 깊숙이 영향을 미치는 글은 산문의 형태로 번역되어도 그 시인 본래의 것이 사라지지 않고 후세에 남는다.

그때 남는 것은 순수하고 완전한 내용이다."

좋은 글은 누가 어떤 방식으로 바꾸거나 번역을 해도 본래의 좋은 의미를 잃지 않는다는 말이다. 이 말은 반대로, 읽는 사람에 의해서 본래의 텍스트가 훨씬 높은 수준으로 끌어올려질 수도 있다는 뜻이기도 하다. 평생 "텍스트를 어떻게 하면 더 완벽하게, 새롭게 그리고 다양하게 읽을 수 있을까?"라는 문제에 대해서 사색했던 그는 다음 3가지 방법으로 셰익스피어의 책을 1년에 가까운 기간 동안 읽으며 자신이 원하는 것을 얻어갔다.

일상에서 작가의 텍스트를 즐겨라. 작가를 사랑하지 않고 작가의 글을 온전히 이해할 수는 없다. 그는 다음 3가지 방법으로 최대한 셰익스피어의 삶에 다가가 그의 진부를 가슴에 담으려고 노력했다. 최대한 셰익스피어가 쓴 글에 몰입하려고 했으며, 책에서 그가 알려준 그 시대의 아름다운 점이나 결함에 대해 깊이 사색했다. 하지만 그의 노력은 거기에서 그치지 않았다. 책에서 배운 각종 지식을 실제로 지인들과의 대화에서 인용하며 일상에서 셰익스피어의 텍스트를 즐겼다. 물론 작가를 이해하기 위한 가장 좋은 방법은 직접 만나 대화를 나누는 것이다. 하지만 그게 불가능할 경우 괴테의 방법을 사용하는 것도 좋다. 더 가까이 다가가야 더 깊이 알 수 있다.

텍스트를 인용에 활용하라. 셰익스피어의 작품은 특히 풍자와 해학이 가득하기로 유명하다. 그러나 우리가 아무리 위대한 작가들의 근사한 풍자를 읽어도 기억하지 못하는 이유는 실제로 그것을 사용하지 않기 때문이다. 이에 괴테는 셰익스피어의 글 중 몇 부분을 잊지 않기 위해서 메모장에 기록했다. 그리고 상대와 대화를 나눌 때 적절한 순간에 셰익스피어의 작품에 나왔던 풍자가 섞인 말장난을 하며 텍스트를 활용했다. 단지 텍스트를 활용한다는 데 의의가 있는 것이 아니라, 이를 통해 셰익스피어가 그 글을 쓸 때의 마음에 접속해 그 의미를 더욱 주관적인 시선에서 추론할 수 있었다는 데 중요한 의의가 있다.

원문을 자기 방식대로 번역해 보자. 번역은 때로 원작을 그대로 반영하지 않거나 전혀 다른 의미로 해석해 나올 수도 있다. 이에 괴테는 셰익스피어의 작품을 직접 번역해서 읽기도 했다. 또한 혼자 번역하면 독단적인 해석이 될 수 있으므로 지인 중 한 사람을 골라 각자 번역한 내용을 비교하며 균형을 잡아나갔다. 대중의 마음에 호소하려면 알기 쉬운 번역이 언제나 가장 좋다. 원작과 어깨를 겨루고자 하는 비판적 번역은 원래 학자들끼리의 위안거리에 지나지 않는 것이다.

읽는 방법은 다양하다. 사실 무언가를 제대로 읽는 것도 쉬운 것이 아니다. 우리는 자주 잘 모르는 누군가를 비난하거나 질타하지만, 그건 매우 못된 행동이며 얕은 생각에서 나온 선택이다. 일단 타인의 언어를 이해할 수 없다며 비난하고 공격하는 행위로는 자기 위로 이상의 것을 얻기 힘들다. 거듭 강조하지만 언어에 있어서 절대라는 말은 절대로 없기 때문이다. 모든 언어는 결국 관계로 인해 바뀐다. 인간의 언어를 주관하는 모든 문법은 관계에서 결정된다.

"상대의 언어를 비난하지 말고,
상대가 얽혀 있는 관계를 보라.
상대의 예측을 듣기보다,
그 미래에 얽혀 있는 그들의 관계를 보라."

변주에 능숙해지는
5가지 방법

문해력의 꽃은 변주다. 지금 자신이 안다고 생각하는 지식을 자유롭게 변주할 수 없다면, 진짜로 알고 있는 거라고 말할 수 없다. 경영에 대한 지식을 발레에 적용해서 변주할 수 있고, 반대로 발레에 대한 지식을 기업 경영에 적용해서 변주할 수 있어야 비로소 "나는 그것을 안다"라고 당당하게 말할 자격이 생긴다. 하나를 배우면 그걸 매우 다양하게 살릴 줄 아는 사람이 있다. 그들이 바로 내가 말하는 하나에 대해서 제대로 아는 사람이자 변주에 능한 사람이다.

나는 지금도 서로 다른 분야의 책 10권을 동시에 쓰고 있다. 내가 그런 일상을 보낼 수 있는 이유는 지능이 높거나 뛰어난 재능이 있어서가 아니라, 하나를 10개의 분야로 각각 변주할 수 있기 때문이다. 다시 말해서 나는 하나의 사물에서 10개로 이어지는 각각의 길을 발견할 수 있다. 누구나 가질 수 있는 능력이고, 일단 갖게 되면 어떤 사물과 상황도 전혀 다르게 변주할 수 있게 되므로 하나를 알면 세상에 열을 보여줄 수 있다. 그게 내가 책을 굳이 많이 읽지 않는 이유 중 하나다. 많이 읽는다고 많이 아는 거라면 이 세상은 천재들로 가득할 것이다. 포인트는 하나를 제대로 관찰해서 제각각 다른 길을 찾아내는 것이다. 다음에 제시하는 5가지 원칙은 중요한 내용이 아닌 것처럼 보일 수도 있다. 하지만 본질에 가까울수록 모든 원칙은 단순해진다는 사실을 명심하며, 지난 20년 이상을 투자해서 찾은 원칙을 자연스럽게 반복해서 당신의 것으로 만들어 보라.

뿌리에서 열매까지 통찰하자. 하나를 제대로 관찰하지 않고 다른 대상으로 넘어가면 앞에서 관찰한 시간과 노력은 모두 사라진다. 반드시 뿌리에서 시작해 줄기를 타고 열매까지 통찰하겠다는 강렬한 의지로 바라봐야 한다. 하나를 치열하게 바라보겠다는 다짐을 하자. 자꾸 옆을 기웃거리며 더 많은 것을 보려고 하지 말자. 그렇게 대충대충 관찰한 사람에게는 나중에 남는 게 하나도 없지만, 치열하게 단 하나를 관통해 본 적 있는 사람은 그 하나로 10개를 잇는 길을 발견할 수 있다. 당장의 속도에 반응해서 서두르지 말고 끈질기게 하나만 제대로 보라.

문해력 공부

쉽게 더 쉽게 설명하자. 당신의 글과 말이 어려운 이유는 아직 그것을 변주할 정도의 수준에 도달하지 못했기 때문이다. 몸으로 직접 겪은 지식이 아니면 우리는 그것을 다른 분야로 변주할 수 없다. 이론으로만 알거나 지식으로만 쌓은 것들을 변주하기 위해서는, 일상에서의 실천이 필요하다. 당신이 배운 것을 세상에 더 쉽게 전하겠다는 마음으로 실천하는 일상을 시작해야 한다. 이론을 전하는 게 아니라, 마음을 나눈다고 생각하자.

쌓으려고 하지 말고 흩뿌리자. 아무리 가벼운 물체도 위로만 계속 쌓으면 결국에는 스스로 버티기 힘들 만큼 무거워진다. 그게 바로 배우기만 하고 주변과 나누지 않는 가짜 지식인의 현실이다. 오늘 하나를 배우면 열 사람에게 배운 내용을 전달하겠다는 마음으로 살자. 지식은 몸이 무거워서 한번 그 사람 인생에 쌓이면, 나가려고 하지 않는다. 그렇게 되면 헛된 망상이 생기며, 못된 태도가 생길 가능성이 높다. 그런 자세로는 대상을 자세히 관찰할 수가 없다. 매일 자신이 새롭게 배운 지식을 주변에 흩뿌리자. 거기에서 싹이 트고 열매와 꽃이 피게 하자.

모든 불가능에 가능성을 부여하자. 사람들이 사는 방식은 매우 다양하다. 이것은 매우 중요한 부분이다. 세상에는 단순하게 살자는 사람도, 섬세하게 살자는 사람도, 둔감하게 살자는 사람도 있다. 또한, 각자 이들을 옹호하는 다양한 방식의 주장과 책이 있다. 대상을 관찰해서 변주할 줄 모르는 사람들은 그것들 중에서 자신에게 맞는 하나만 선택하고 나머지는 부정한다. 하지만 관찰과 변주에 능한 사람은, 그것이 바로 하나의 사실을 다양한 방식으로 변주한 결과라는 사실을 포착하고 배우려고 한다. "이것만이 옳다"라는 생각은 변주를 막고 관찰하려는 의지를 아예 부수는 행위다. 모든 불가능에 가능성을 부여하자.

질문을 구체적으로 할 줄 알아야 한다. 내가 사색의 중요성을 강연에서 강조하면 이내 이런 질문이 쏟아진다. "어떻게 하면 사색을 잘할 수 있나요?", "일상에서 쉽게 사색을 실천할 수 있는 방법이 뭔가요?" 이런 질문을 한다는 것은 일상에서 사색을 한 번도 실천한 적이 없다는 증거다. 해본 사람의 질문은 섬세하고 예리하다. 경험은 관찰을 부르고, 관찰은 그 사람에게 더 세부적인 부분을 허락하기 때문이다. "요리를 잘할 수 있는 방법이 뭔가요?" "어떻게 하면 야구를 잘할 수 있나요?"가 아닌 "한식 국물 요리에서 중요한 부분이 뭘까요?" "프로 선수가 되고 싶은데 지금부터 어떻게 준비해야 할까요?"라는 세부적인 사항을 건드리는 질문을 해야 정확한 답을 찾을 수 있다.

나폴레옹은 전쟁터에서의 천재가 "일상생활에서 행동하는 것처럼 살면서 냉정을 유지하는"사람이라고 말했다. 그는 생사가 순식간에 갈리는 전쟁터에서 괴테의 〈젊은 베르테르의 슬픔〉을 읽으며 막사에서의 자유 시간을 즐겼다. 천재를 논하는 그의 말과 실제로 막사에서 소설을 읽으며 시간을 보냈던 그의 행적은 놀랍게도 일치한다. 모든 나라의 무기 수준이 거의 비슷했던 당시 전쟁은 결국 전략이 승리를 좌우했다. 그리고 전략이란 결국 승리라는 목적지를 다양하게 변주하는 행위의 결과다. 치열한 관찰을 통해 승리로 가는 길을 변주해서 전략으로 만들기 위해서는, 그가 말한 것처럼 죽음을 앞에 두고도 냉정을 유지하며 일상을 보내야 한다. 세상이 아무리 흔들려도 중심을 잡고 위에 제시한 5가지 원칙을 일상에서 실천하며 관찰이 이끄는 삶을 살아보라. 어떤 삶의 전쟁에서도 승리할 수 있게 될 것이다.

"나는 나를 빛낼 수 있다."

정해진 범위를 벗어나
끊임없이 생각하기

"넌 왜 이렇게 상식이 없냐?"

살다 보면 이런 이야기를 자주 듣거나, 누군가에게 하게 된다. 많은 사람이 이처럼 상식이라는 게 마치 반드시 있어야 하는 것인 양 그 중요성을 강조한다. 그래서 시중엔 다양한 상식을 하나로 모아 엮은 책도 다수 발간되었고, 실제로 그런 책이 꽤 잘 팔리고 있는 상황이다. 그만큼 우리는 언제나 상식에 목말라 있다.

하지만 나는 조금 다르게 생각한다. 상식은 결국 우리를 상식 밖으로 나가지 못하게 만드는 그물이라고 본다. 그래서 나는 되도록 '상식이 없는 사람'이 되기를 권한다. 생각해 보라. 매일 같은 길만 가는 사람에게 무엇을 기대할 수 있을까? 늘 같은 것을 바라보고, 같은 사람을 만나서 같은 음식만 먹는다면, 우리는 그 사람의 머리에서 이전에 없던 새로운 것이 만들어지길 기대할 수 없을 것이다. 새로운 사고를 막는 가장 막강한 적은 바로 상식이다. 그래서 나는 가끔 강의 중간에 아래 제시한 글을 낭독하며 사고의 중요성을 강조한다.

나는 사고思考를 사랑한다.
그러나 이미 존재하는 관념을 바꾸거나
왜곡하는 행위는 하지 않는다.

나는 거만한 장난을 경멸한다.
사고는 아무도 만나지 못한 미지의 삶을
의식 속으로 흘려 보내는 것이며,
의식을 기준으로 삼는 말에 대한 시험이며,
삶의 본질에 대한 응시이고,
알 수 없는 것에 도전하는 것이며,
경험에 대한 진지한 생각으로 결론에 이르는 것이며,
계략이나 훈련 혹은 속임수가 아니다.

사고는 완전함 속에,
온전히 속해 있는 인간이다.

— D.H. 로렌스, 〈사고 *Thought*〉

아마 이 글을 처음 접한 사람이라면 쉽게 이해가 되지 않을 수도 있다. 단순하게 글자 그대로를 읽을 수 있다고 납득할 수 있는 글이 아니기 때문이다. 실제로 비상식적인 결과를 내보려고 시도한 경험이 필요하며, 깨지고 아파하며 사색한 나날로 얻은 지혜가 필요하다. 물론 힘든 과정이다. 상식을 버리는 것은 쉬운 결정이 아니다. 하지만 지극히 당연한 이야기지만, '상식적인 생각'에 머무는 사람은 '상식적인 결과'만 낼 수 있다는 사실을 다시 기억할 필요가 있다. 상식적인 결과는 어제와 같은 지루한 일상만 안겨 줄 것이다. 상식에는 인간이 누릴 수 있는 최상의 경지인 '경탄'이라는 근사한 감정이 빠져 있기 때문이다.

모든 사람이 부러워하는 대단한 성취는 모든 기존의 상식을 벗어난 생각의 결과물이다. 상식적인 수준에서 벗어나 경탄에 도달할 정도의 것을 성취하고 싶다면, 상식에서 벗어나는 게 급선무다.

> "상식에는 경탄할 것이 없다."

없던 것을 상상해
현실로 끌어내는 힘

서로 분야가 다른 수천 장의 자료들, 인터넷에서 검색으로 끌어모은 깊고 얕은 정보와 수백 장의 사진 자료, 게다가 수십 명의 동영상 인터뷰 자료, 이것 들을 이용해서 단행본 1권을 만들어내려면 어느 정도의 시간이 걸릴까? 일단 80%의 사람들은 이런 어려움에 봉착할 것이다. "이 수많은 자료와 정보를 어떻게 한데 묶어서 전하지?" 하지만 이를 1시간이면 완벽하게 해내는 사람이 있다. 이들은 모든 지식 분야의 경계를 허물고 일정한 경지에 도달한 사람이다. 그들에게 이러한 작업이 어려운 일이 아닌 이유는, 매일 일상에서 하는 일이기 때문이다. 사람들이 말이 되지 않는다고 공언公言한 것에서 공통점을 찾아내고 그것들을 새로운 하나로 연결하는 일 그리고 공통된 것에서 차이점을 찾아낸 후 그것들을 또 하나로 연결하는 일이 그들에게는 평범한 일상이다.

익숙한 것들을 엮고 엮으면서 새로운 것들이 무수히 탄생한다.

삶의 최전선에 서서 앞을 바라보라. 앞으로 한 발자국 내디딜수록 절망적인 마음은 사라지고 희망이 싹틀 것이다. 미래는 예측해 보는 것이 아니다. 원하는 대로 만들기 위해 온 힘을 다해 실천하는 것이다.

타인의 생각을 늘 탐색하라. 그들은 낙관적인 태도만 보이지 않는다. 적절한 시기에 상대가 의심을 가질 때 불행한 상황에 대해서도 언급한다. 언제나 그렇듯이 그들은 남의 의중을 뒤집어보는 선수다.

정신의 높이뛰기가 필요하다. 높이뛰기를 할 때, 다리 근육과 탄력을 사용하면 허공에서 높이 뛰지만 나이가 들수록 그 힘을 잃는다. 앞으로 우리가 살아갈 세상은 다른 의미의 점프가 필요하다. 바로 '정신의 높이뛰기'이다. 그래서 사람과 대화를 나누거나 아직 정리가 되지 않은 글을 읽으면 숨이 차오른다. 여기에서 저기로 휙휙 지나가며 상상도 하지 못한 의미를 담게 되기 때문이다. 몸이라는 틀에서 벗어나는 것은 아주 힘든 일이다.

수많은 곳으로 생각의 자동차를 보내라. 사람들은 언제나 예상

문해력 공부

할 수 없는 곳에서 시작해서 마찬가지로 예상하지 못한 장소에서 내린다. 도무지 어딘지 알 수 없는 곳에서 우리는 다시 그들이 보내주는 차를 기다리는 수밖에 없다. 이어령 박사는 스스로 '고양이 7마리'라고 부르는 7개의 피시PC로 수많은 그들에게 딱 맞는 자동차를 만들어서 여기저기에 보내준다.

고정관념에서 벗어나, 모든 사물과 사람에게 가능성을 부여하는 데는 인문학적 시선이 필요하다. 정보가 아무리 많아도 그 중에 가장 유효한 것을 끌어내려면 항상 촉을 세우고 있어야 한다.

'눈의 힘'을 강조한 이어령 박사의 말처럼 우리는 독수리의 눈과 개미의 눈을 동시에 가지고 있어야 한다. 우리가 무심히 쓰는 작은 단어 하나로도 앞으로 우리의 운명이 달라질 수 있기 때문이다.

우리는 매일 수많은 정보와 자료를 접한다. 그리고 그것들 속에서 공통된 특징을 가진 것들끼리 모아 하나로 연결하는 작업을 통해, 우리는 세상에 없던 놀라운 하나를 창조할 수 있다.

4장. 하나에서 여러 갈래를 발견하는 관찰법

문해력을 위한
소크라테스의 대화법

내가 생각하는 역사상 가장 높은 수준의 문해력을 보유했던 사람은 소크라테스다. 그는 대화를 통해 상대가 스스로 자신의 무지를 깨닫게 만드는 데 능했지만, 그 모든 결과는 결코 그가 말을 잘하는 사람이라 나온 것이 아니었다. 플라톤의 《대화편》 중 소크라테스는 에우튀프론에게 "경건함이란 무엇인가?"라는 질문을 한다. 두 사람이 나누는 대화를 자세하게 읽어보면 소크라테스의 문해력이 대화에서 어떤 영향을 주고 있는지 발견할 수 있다.

소크라테스의 질문을 받은 에우튀프론은 "경건함이란 신을 기쁘게 하는 일이다"라고 답했다. 그러자 소크라테스는 다시 묻는다.

"그렇다면 모든 신은 단지 하나의 일에서만 기쁨을 느끼는가?"

"모든 신은 경건한 마음을 사랑하고, 불경한 마음을 미워한다."

이제 두 사람이 서로 묻고 답하는 내용을 자세하게 살펴보자.

"그렇다면 사람들은 경건한 마음을 가졌기 때문에 사랑받는 것인가, 사랑받기 때문에 경건한 마음을 갖게 된 것인가?"

"그 마음이 경건하기 때문에 사랑을 받는 것이다."

"경건한 것은 모두 옳은 것인가?"

"옳은 것이 모두 경건하지는 않지만, 경건한 것은 모두 옳은 행동에서 나온 것이다."

"옳은 것 중에 어떤 것이 경건한 것인가?"

"옳은 것은 경건한 것의 일부분으로, 신들에 관한 일을 잘 섬기는 일을 말한다."

"잘 섬기는 것은 어떤 것을 의미하나? 또한 그런 행동은 신들에게 어떤 이익을 주는가? 혹시 신들에게 선물을 드리는 것이 그것을 의미하는가?"

"신들에게 선물을 드리는 것은 존경에 대한 표시로 신들의 마음에 들기 위해 하는 것이다."

그러자 소크라테스는 이런 말로 대화를 정리한다.

"그렇다면 그들은 신들을 위해서 무언가 바치면서 기도하게 될 것이고, 이것은 결국 신으로부터 무언가를 얻기 위한 거래가 아닌가? 그 모든 것은 신의 마음에 들기 위한 행동이자 신들로부터 사랑받기 위한 행동이므로, 당신이 말한 경건하기 때문에 사랑받는다는 것은 맞지 않다."

•

앞의 대화에서 소크라테스는 몇 개의 단어와 일상에서 자주 일어나는 상황을 서로 연결해서 질문하며, 누구도 바꾸지 못할 정도로 강한 신념을 가진 사람이 조금씩 변화할 수 있게 만들었다. 단어와 상황을 적절하게 연결해서 그것을 질문 형태로 가공한 후, 타인의 변화를 자극하는 것은 문해력이 높은 사람이 아니라면 도저히 할 수 없는 일이다. 그는 이처럼 그릇된 생각을 가진 사람을 조금씩 교정해서 스스로 그 자신이 진리를 깨칠 수 있게 도왔다. 소크라테스가 각종 억지와 강제적인 수단을 쓰지 않고도 그런 기적적인 변화를 이끌어낼 수 있었던 것은 텍스트와 주변 상황을 적절히 활용할 수 있었기 때문이다. 그래서 그의 언어는 듣는 이에게 독단적인 관념을 불어넣는 것처럼 느껴지지 않았고, 질서 정연한 사유 과정을 통해 스스로 변화의 길을 찾아 걸을 수 있게 했다.

우리가 기억하는 소크라테스가 남긴 모든 명언은 결국 그가 세상과 사람을 바라보는 시선이 어떤지를 그대로 보여 주는 자료다. 다시 말해서 그의 높은 문해력이 어디에서 어떻게 왔으며, 그걸 우리가 그대로 가지려면 어떤 마음으로 세상을 바라보며 살아야 하는지를 알려주는 귀한 자료인 셈이다. 그 중심에는 바로 이 문장이 있다.

"내가 아는 단 하나는 나 자신이 무지하다는 사실 그것뿐이다 I know that I know nothing."

세상에서 가장 가르치기 힘든 사람은 "나는 알고 있다"라고 생각하는 사람이다. 이유는 단순하다. 그는 스스로 알고 있다고 믿어서 절대 배우지 않는다. 그는 자신이 안다고 생각하는 그 하나의 지식으로 평생을 살아야 한다. 그건 비극이다. 그래서 소크라테스는 모든 지적인 삶은 자신이 아무것도 모른다는 사실을 깨닫게 되며 시작된다고 생각했다.

후세의 사람들이 높은 문해력을 갖길 바라며 남긴 그의 조언 일부를 소개하려고 한다. 그의 조언에 내가 하나하나 설명을 달아 이해하기 쉽게 할 수도 있지만 그런 형태의 글로는 여러분의 문해력을 자극할 수 없기에 어떤 방식으로 읽고 해독해야 하는지 예시 하나를 남긴다. 나머지는 이와 같은 방식으로 해독해서 이해해 보길 권한다.

"죽음이란 인간에게 주어진 최고의 축복이다 Death may be the greatest good that We know what We do not know."

그가 남긴 말이다. 나는 그의 말을 아래와 같이 해석한다.

그는 왜 그렇게 말했을까? 나는 그 이유가 평생 자신이 누구보다 많은 것을 알고 있다고 주장하던 사람도 죽음 앞에서는 처음으로 "나는 아무것도 모르는 사람이었구나"라는 최고의 가르침을 받게 되기 때문이라고 생각한다. 죽고 나서는 어떤 가르침을 얻어도 쓸모가 없다. 그러므로 지금, 하루라도 더 살아갈 날이 남았을 때 "나는 아무것도 모르는 사람이다"라는 사실을 깨닫자. 그게

4장. 하나에서 여러 갈래를 발견하는 관찰법

지금 당장 자신의 인생을 돕는 일이다.

이런 방식으로 그가 남긴 문장의 이유를 먼저 묻고, 의미를 발견해서, 자신의 삶에 접목하는 3단계 과정으로 해독해 보자. 그가 남긴 조언으로 문해력을 높이려면 이 방법이 가장 좋다.

— 당신의 모든 말과 행동을 찬양하는 사람을 신뢰하지 말고, 당신의 실수를 나무라는 사람을 신뢰하라.

— 아주 작은 것에도 만족할 수 있는 사람이 가장 부자인 것이다. 만족을 느낀다는 것이 바로 자연이 주는 진정한 풍요다.

— 책을 자주 읽어 자신을 성장시켜라. 책을 읽으면 다른 사람들이 아주 힘들게 얻은 지식을 쉽게 얻을 수 있다.

— 자신이 겪으면 화가 날 일을 다른 사람에게 하지 마라.

— 인간의 삶 속에서 영원한 것은 없다는 것을 반드시 기억해야 한다. 그렇기에 번창할 때 지나치게 기뻐하거나 역경 속에서 지나치게 우울해할 필요가 없다.

— 반성하지 않는 삶은 살 가치가 없다.

— 토론이 끝나면 패자는 중상모략을 하기 마련이다.

— 바르게, 아름답게, 정의롭게 사는 것은 결국 모두 똑같다.

어떤가? 문장을 관찰한다는 느낌도 들면서, 문해력 부분에서 전과 다른 느낌이 들 것이다. 이런 방식으로 다른 사람들이 남긴 짧은 조언을 나름대로 3단계 과정으로 해독하는 습관을 들이면, 언제 어디에서 어떤 텍스트를 봐도 풍성한 아이디어가 터져 나오는 것을 느낄 수 있을 것이다.

"센스가 없다면
아무것도 잘할 수 없다."

지적 산책이면 충분하다

～～～～～～～～～～～～～～～～～～～～～～～～～～

산책이 좋다는 것은 이미 모두가 아는 사실이다. 하지만 '대체 산책이 뭐가 좋은가?'라는 질문에는 쉽게 답하기 힘들다. '자연을 관찰'하고, '걷는 힘'을 키우고, 지금 고민하는 문제를 풀고자 산책을 하지만 언제나 시간만 보내다가 돌아오는 경우가 많다. 기획과 마케팅, 진로, 꿈 등 온갖 문제를 풀기 위해 우리는 다양한 시도를 한다. 산책은 그 많은 시도 중 내가 아는 가장 효과를 본 해법이다. 창의적 영감을 쏟아지게 하려면 어떻게 해야 할까?

내 문제만 남기자. 엉킨 실타래를 풀지 못하듯 사람과의 관계로 괴로운 날을 보낸 적이 있는가? '그 사람은 왜 나를 괴롭힐까?', '방금 그가 내게 보낸 눈빛은 어떤 의미일까?' 이런 생각에 생각을 거듭하는 행동은 결코 내 문제를 푸는 데 도움이 되지 않는다.

상대의 시선과 의혹은 버리고, 오직 내 문제에만 몰두하자. 자기 고민은 혼자여도 풀 수 있지만, 두 사람 이상이 얽힌 문제는 혼자 해결할 수 없다. 혼자 산책할 땐 철저하게 자신에게 집중하라. 다른 문제는 모두 버리고 오로지 자기 자신의 문제와 마주하라.

문제 그 자체가 되자. 나는 산책을 나갈 때마다 세상이 정답이라고 정한 문구 하나를 가슴에 품고 나간다. 이를테면 "말 한마디로 천냥 빚을 갚는다"라는 말을 들었다면, 이렇게 생각의 줄기를 나눈다. "말로 천냥 빚을 어떻게 갚을 수 있나?", "말로 오히려 빚을 더 지는 사람은 누군가?", "말로 빚을 갚는 사람은 무엇이 다른가?" 이런 방식으로 문장을 분석하고 질문을 던져서, 산책하는 내내 눈에 보이는 모든 풍경과 스치는 이미지의 힘을 빌려 체계적으로 논리를 구성하고, 거기에 마지막으로 나의 경험과 지식을 녹여 넣는다. 단순하게 "감정이입을 하라"고 말할 수는 있지만 그게 어려운 이유는, 문제 자체에 접속하지 못하기 때문이다. 분석하고 체계적으로 논리를 구성하라. 그게 바로 문제 자체가 되는 방법이다.

결과는 생각하지 않는다. 모든 일과 문제가 그렇다. 결과를 생각한다는 것은 문제의 답안지를 몰래 보는 것과 같다. 답을 정해놓고 문제를 푸는 사람에게는 창조적인 과정과 방법을 기대할 수 없다. 답에 맞는 방식으로 문제를 바라보기 때문이다. 결과를 생각하지 말자. 우리는 과정 속에서만 새로운 결과를 창조할 힘을 얻을 수 있다. 그 중심에 영감이 있다. 산책하며 발을 내딛는 수많은 순간 영감을 발견할 감각도 작동한다. 걷는 그 시간에 당신을 스치는 바람과 사람, 온갖 생명과 햇살 한 조각도 그대로 보내지 말자. 이 모든 것과 스친 과정이 우리에게 영감을 선물한다.

세기의 과학자 아인슈타인에게는 매일 산책하는 코스가 있었다. 그러나 그는 그저 걷기만 하며 산책을 끝내지는 않았다. 소년 아인슈타인은 16살 때 산책을 하며, "내가 빛의 속도로 움직이는 빛 위에 타고 있다면, 앞으로 어떤 일이 일어날까?"라는 질문을 던졌다. 놀랍게도 그 어린 나이에 그것도 산책을 하면서 처음 상대성이론의 영감을 떠올린 것이다. 그러나 산책은 그에게 더 많은 것을 허락했다. 그는 그 질문을 통해 이런 답을 찾아냈다.

"빛과 내가 같은 속도로 움직인다면 그 빛이 내게 움직이지 않는 것처럼 느껴져야 한다."

물리학을 대표하는 위대한 사건은 그의 산책에서 시작되었다. 위에서 언급한 3단계, '내 문제만 남기자', '문제 자체가 되자', '결과는 생각하지 않는다'로 이어지는 산책을 하면서 아인슈타인 역시 생각을 다듬고 정리하는 지적인 산책로를 완성했다. 풀리지 않는 문제가 풀릴 때까지 그는 걷고 또 걸었다. 그에게 산책로는 세상에 존재하지 않는 다른 세계로 가는 통로이자 출구였다.

산책이 얼마나 인간에게 중요한지 그 결론에 대해서는 많은 사람이 알고 있었지만, 이 책에서 제시하는 구체적 방법을 제시한 적은 없었다. 나 역시도 산책을 통해 하루 4시간을 영감을 찾는 데 쓰지 않았다면 알지 못했을 아주 특별한 시간이다. 당신도 한 번 시작해 보라.

내게는 산책을 조금 더 근사하게 만드는 한마디가 있다. 산책하며 나는 스스로에게 이렇게 말한다.

"검색해서 나오는 어떤 것도 기억할 필요가 없다. 다만 이 순간이여, 내게 영원하라."

이 두 문장을 가슴에 담고 나가보라. 세상이 모두 당신에게 안길 것이다. 바로 그것이 그대를 새롭게 할 영감이다.

"산책은 산만한 마음을 정리한다."

4장. 하나에서 여러 갈래를 발견하는 관찰법

삶에 영감을 주는 순간을
놓치지 않는 법

인간이 무언가에 몰두해 투자할 수 있는 시간은 매우 제한적이다. 그럼에도 내가 《사색이 자본이다》, 《아이를 위한 하루 한 줄 인문학》을 쓰며 6년 이상을 투자한 이유 역시 바로 거기에 있다. 앞으로 우리가 살아갈 시대는 성장이 더딘 '정체의 시대'가 될 것이다. 그것은 노력과 돈으로 원하는 것을 얻어낼 가능성이 조금씩 낮아진다는 것을 의미한다.

이제 사색과 인문학이 우리의 일상 자본이 될 것이다. 모든 직업과 일도 언제 어떻게 사라질지 아무도 모르고, 일을 하는 방식과 체계도 상황에 따라 언제든 급격하게 개편될 수 있다. 우리는 이미 전 세계적으로 발생한 코로나19 사태를 통해 이 같은 변화를 급격하고도 뼈저리게 느꼈다.

경제 행위를 하는 많은 사람이 '국민 총생산'에는 관심이 많지만, 정작 자신에게 중요한 '일상 영감 총생산'에는 별 관심이 없다. 영감에 더욱 신경을 써야 하는 이유는, 전자는 타인의 일이고 후자는 본인의 일이기 때문이다. 다수 안에 숨어 편안함과 달콤함을 즐기는 일상에서 벗어나 치열한 자세로 내면에 집중해야 한다. 그래야 새로운 것을 발견할 수 있다.

시인처럼 바라보라. 영감은 마음의 문제다. 마음이 자유를 허락하면 영감도 제한된 범위에서 벗어나 자유롭게 살아갈 수 있다. 그래서 '시인처럼 바라본다'라는 것은 내면에 집중해서 자기 일을 주도적으로 진행한다는 것을 의미한다. 반대로 '시인처럼 살지 않는다'는 것은 명령만 내리는 독재자에게 자신의 소중한 삶을 맡기는 것과 같다. 독선과 독재의 시선에서 벗어나 일상을 주체적으로 끌고 나가는 사람만이 무언가를 얻을 수 있다.

뿌리까지 침투하라. 결과를 섬세하게 바라보고 그 결과의 뿌리까지 깊숙이 더듬어 가라. 가령 최고급 자동차를 바라보며 그 시작을 예상해 보는 것이다. 이때 첫 질문이 중요하다. 본질에 접근해야 제대로 뿌리를 만져볼 수 있기 때문이다. 예를 들어 자동차는 왜 발명된 걸까? 사람의 욕구와 맞닿아 있는 방향으로 질문을 던지는 게 효과적이다. "조금 더 빠르게 원하는 곳에 도착하기 위해서"라는 답에 도달했다면 뿌리에서 조금씩 줄기를 타고 올라가 보자. 빠르게 가기 위해 자동차를 만들었고, 빠르기에만 초점을 맞추다 보니 사고로 다치는 사람이 많아져서 안전벨트를 만들어 해결했다. 하지만 인간은 유혹에 약한 존재라 안전벨트를 믿고 예전보다 더 속력을 내는 바람에 오히려 사망사고가 더 늘어나게 되었고, 그래서 조금 더 안전한 주행을 위해 에어백을 만들어 문제를 해결했다.

뿌리에서 줄기로 올라와 생각을 펼쳐라. 하지만 여전히 사망사고는 줄어들지 않았고, 사람들의 과속도 여전하다. 이런 과정을 통해 우리는 다양한 분야로 생각의 줄기를 뻗을 수 있다. 인간의 욕망을 언급하며 심리에 대한 생각을 할 수도 있고, 위험 상황을 해결하는 인간의 대처 방식을 언급하며 자기계발 메시지가 담긴 생각도 할 수 있다. 같은 내용이지만 다른 줄기로 뻗어 나가며 다양한 영감을 발견할 수 있다.

《 5장 》

정보와 지식을 흡수하는
자기만의 방식

: 관찰과 문해력의 차이

단어 하나에서 시작하는
통찰의 기술

~~~~~~

세상을 바라보는 시선은 3가지가 있다. 우선 어딘가에서 보고 배운 지식으로 바라보는 것이다. 이 방법으로는 배운 것 이상의 것을 발견하기 어렵다. 다음은 배운 지식에 경험을 연결해서 지혜를 담아 바라보는 것이다. 지혜의 눈으로 보는 모든 것들은 깨달음을 준다. 다만 배운 지식 범위에서 벗어난 경험은 쓸모없이 사라진다는 단점이 있다. 즉 지식의 틀 안에서만 세상을 바라보게 만든다. 마침내 지적 최고 수준에 도달하면 그는 비로소 세상을 통찰하게 된다. 하나의 얕은 지식을 근거로 삼아 주변에 존재하는 수많은 경험과 노하우를 수백 개의 통찰로 연결한다. 그는 이제 세상에 이미 존재하지만 아무도 꺼내지 못한 것을 수월하게 꺼내 보이고, 이미 그것이 세상에 존재했던 것처럼 익숙한 형태로 가공한다. 그렇다면 통찰은 어떤 방식으로 이루어지는 것일

5장. 정보와 지식을 흡수하는 자기만의 방식

까? 나는 그들이 세상을 대하는 방식에서 몇 가지 중요한 사색 포인트를 찾았다.

대상에 대한 이해는 탐험의 끝이 아니다. 우리는 자신이 이미 파악했다고 생각하는 대상으로부터 아무것도 더 알고 싶어 하지 않는다. 하지만 이해는 '앎의 끝이 아닌 시작'이다. 우리가 이해한 것은 지적 탐험의 시작점이며 우리가 지혜를 찾아가는 과정은 계속되어야 한다. 무언가를 이해했다면, 이제 더 가까이 다가가서 관찰하며 더 깊이 알아가야 한다.

새로운 것만 찾으려고 하지 말라. 창조를 논하면 자꾸만 완전히 새로운 것을 찾으려는 사람이 많다. 하지만 창조는 발견이 아닌 새로 연결하는 데에서 시작한다. 우리가 생각하는 것보다 훨씬 많은 것이 이미 발견되어 있다. 그러나 다행히 그것들이 전부 연결되어 있지는 않다. 즉 발견되었지만 존재하지 않는 상태다. 그러니 더 새롭고 더 멋지게 연결할수록 그 가치가 올라갈 것이다.

상상의 이미지를 만들어 보존한다. 세상을 통찰하는 사람은 풀리지 않는 문제가 있으면 상상 속의 이미지를 만들어 낸다. 그리고 이미지를 통해 종종 그 문제를 풀어보고 진리를 깨닫기도 한다. 심지어 문제 해결이 되어도 그 이미지를 남겨둔다. 이유는 간단하다. 진리는 하나에만 국한되어 적용할 것이 아니다. 문제를 풀 때마다 다음 문제를 풀 영감과 아이디어로 사용되어야 한다.

시작과 결론을 정하지 말라. 관찰할 때 우리가 저지르는 가장 큰 실수는 결과를 미리 정하고 원인을 결과에 끼워 맞춘다는 것이다. 우리는 왜 이런 잘못된 과정에서 벗어나지 못하는 걸까? 원인을 찾아 설계해 보고 결과로 나아가는 길은 멀기도 하고 험난하다. 그렇지만 결론을 정해놓고 시작하면 모든 것을 쉽게 증명할 수 있다. 쉽게 가려고 하지 말고, 모든 가능성을 열어두고 바라보려는 시선을 유지하자. 원하는 대로 결론을 내려고 대상을 바라본다면 그게 무슨 가치가 있겠는가? 자신의 생각과 전혀 다른 결론이 나와도 오히려 기쁜 일이라고 생각하며 접근하는 것이 현명하다. 통찰은 자신을 초월하려는 용기에서 시작하며, 그걸 계속 이겨낼수록 더 깊어진다.

자신의 몸과 감각을 단련하라. 그리스에 "동물은 자신의 기관에 의해서 가르침을 받는다 Animals, we have been told, are taught by organs"라는 격언이 있다. 동물은 스스로 자기 가능성을 확장하지 못하고 신체 기관의 제어를 받는다는 의미의 격언에 괴테는 한 줄을 더했다. "그러나 인간은 자신의 기관을 가르치고 그것을 지배한다 I would add, and so are men. they can also team their organs in return." 시력이 좋다고 대상을 빈틈없이 관찰할 수 있는 것이 아닌 것처럼, 인간의 능력은 신체적 능력에 따라 다르게 나타나지 않는다. 얼마나 자신을 제어하며 주체적이냐에 따라서 보고 듣고 느끼는 수준도 달라진다.

다음은 내가 '이해'라는 단어 하나를 이해하려고 사색에 돌입하는 과정을 간단하게 표현한 것이다. 위에 제시한 사색 포인트를 응용해 본 방법이니 섬세한 마음으로 읽어 보길 권한다.

'이해'라는 수준에 도달하기 위해서는 3단계 과정을 거쳐야 한다. 시작은 '관용'이다. 관용이란 다른 의견과 행동을 허용하는 것을 말한다. 허용이라는 표현에는 자연스러움이 존재하지 않는다. 여전히 기분에 거슬리지만 내가 참고 견딘다는 의미가 녹아 있어서다. 관용이라는 표현은 관계를 맺고 진전시키는 데 매우 부정적이어서 오래가지 않아 더 큰 분란을 일으킬 가능성이 높다. 그래서 관용은 다음 단계로 이동해야 한다.

이번에는 '인정'이다. 그러나 이것도 완벽하진 않다. 인정이란 "소유권을 인정한다"라는 식의 의미라, 심리적으로 공감하는 것이 아니라 이성적으로 판단해서 "네가 옳으니 항복한다"라는 의미와 비슷하기 때문이다. 결국 우리에게 마지막으로 필요한 것은 '이해'다. 우리는 스스로 이해한 것만 타인에게 이해시킬 수 있으며, 타인을 이해한 만큼 자신의 진심을 전할 수 있다. 이해라는 단어에는 어떤 부자연스러운 움직임도 없어 관계 속에서 감정 노동을 하지 않아도 된다.

나는 지난 10년 넘게 1년 1권 읽기를 반복하고 있다. 괴테가 쓴 책만 읽고 있지만, 10년 동안 다양한 분야의 책을 기획하고 쓸 수 있었던 이유는 괴테가 쓴 한 줄에서 사색과 질문을 반복하며 남들과 다른 것을 발견했기 때문이다. "모든 사람은 본인이 이해한 것만 들으려고 한다"라는 글을 그냥 읽어 넘기는 사람은 그 한 줄이 얼마나 더 많은 것을 담을 수 있으며 자신의 지성을 키울 수 있는지 단어의 깊이와 크기를 짐작할 수 없다. 문해력의 대가들은 한 줄로 수백 가지 사색의 줄기를 만들어 낸다. 그 줄기는 다시 하늘로 솟구쳐서 다른 또 하나의 하늘을 만든다.

"발견하고 확장할 줄 안다면
하나의 우주를 만들 수 있다."

정보와 지식을 단련하는 생각법

〰〰〰〰〰〰〰〰〰〰〰〰〰〰〰〰〰〰〰〰〰〰〰

"반대를 위한 반대는 그만하세요."

이 말에 대해 어떻게 생각하는가? 이 말을 한 사람이 정의롭게 느껴지는가? 아니면 다른 무언가가 있다고 생각하는가?

세상에 혼자 소리지르는 사람은 없다. 반대를 위한 반대라는 소리를 들었으면 바로 이런 생각을 해 보자. 찬성을 위한 찬성은 무엇일까? 반대를 위한 반대를 하는 사람 근처는, 찬성을 위한 찬성을 하는 사람으로 가득할 가능성이 높다. 혼란한 시국이다 보니 누가 옳고 누가 올바른 주장을 하고 있는지 늘 이유를 생각해 본다. 세상에 언제나 정답인 결론은 없으니 답하기는 더 어렵다. 앞으로 이 혼돈은 더욱 깊어져서 여간해서는 중심을 잡고 판단하기가 더욱 어려워질 것이다. 이런 시기에 우리는 주변의 정보를 어떻게 습득해야 하며, 지식은 어떤 방식으로 활용해야 할까?

판단력을 잃으면 모든 것을 잃는다. 판단력은 인생의 방향을 결정하는 힘이다. 당연히 판단력을 잃으면 인생도 길을 잃고 만다. 그러나 사람은 때로 과거의 잘못을 낙관적으로 판단해 받아들이기 때문에, 현재의 상황보다 더 나은 판단을 하려는 의지를 갖지 않을 수도 있다. "오늘 내가 보내는 일상은 내가 과거에 판단한 선택의 결과다"라는 말처럼 인생은 선택의 연속이다. 한 포인트에서 제대로 판단하지 않으면 다음 포인트로 갈 수 없다. 자신의 인생이 늘 제자리라고 생각한다면 자신의 과거에 했던 판단을 다시 보는 게 좋다.

다양한 관점이 곧 자신의 가능성이다. 신은 우리에게 재능을 줬지만 우리가 제대로 발견하지 못하는 경우가 허다하다. 너무나 좁은 분야에만 갇혀 있기 때문이다. '피아노', '미술', '글쓰기', '암기' 등의 키워드만 대입해 보면 자기 재능은 그에 맞지 않을 수도 있다. '글쓰기'를 예로 들자면, '사람 마음을 어루만지는 글쓰기', '약자의 관점에서 바라보는 글쓰기', '창조를 부르는 제안서 쓰기' 등 수많은 갈래로 나눌 수 있다. 이게 바로 카테고리 하나를 창조하는 관점의 힘이다. 다르게 보면, 다른 것을 얻는다. 그래서 다양한 관점은 우리의 가능성이 된다. 다른 관점 하나를 장착한다는 것은 재능 하나를 더 가지게 된 것과 같다.

모든 매체의 소리를 완벽하게 받아들이자. "반대를 위한 반대를, 찬성을 위한 찬성을 하는 사람"들의 공통점은 세계 곳곳에서 자기 입맛에 맞는 기사와 정보만 모아 자기 의견에 관련지어 주장한다는 데 있다. 그건 어느 나라, 어느 곳에서도 마찬가지다. 어디에나 주장을 위한 주장을 하는 사람들이 있다. 그들은 대개 어떤 이득을 목적으로 사는 사람들이다. 대신 귀를 활짝 열고 세상에 존재하는 모든 매체의 소리를 자기 주장에 상관 없이 모두 경청하자. 주변을 활짝 열자, 항상 더 나은 답은 주변에 존재한다. 우리는 주장하기 위해 사는 게 아니라, 더 나은 정보와 지식을 쌓아 더 훌륭한 주장을 만들어 가려고 사는 것임을 잊지 말자.

나와 다른 모든 관점을 수집하자. 만약 어떤 사람의 관점을 받아들일 수 없다면 이유는 2가지다. 하나는 그가 말이 안 되는 이야기를 할 경우, 나머지 하나는 그의 관점을 이해할 수준에 도달하지 못했을 경우이다. 두 상황에서 모두 배울 게 있다. 전자는 "왜 그는 이해하지 못할 이야기를 할까?"라고 질문하며 그처럼 생각하지 않는 법을, 후자는 "내가 그의 관점을 이해할 수준에 오르기 위해서는 무엇을 해야 하나?"라는 질문으로 더 나은 해법을 찾아볼 수 있다. 나의 관점과 마찬가지로 다른 관점 역시 소중하다. 내가 배울 모든 것이, 내게 부족한 것이 그들의 관점 안에 있기 때문이다.

정보와 지식은 언제나 우리에게 희망을 준다. 단, 그것을 지혜롭게 활용하는 경우에만 그렇다. 사는 게 힘들어지면 정보와 지식으로 누군가를 속여 이득을 보려는 사람이 늘어난다. 이럴 때 정보의 바다에서 흔들리지 않고 중심을 잡을 수 있다면, 오히려 다양한 정보와 지식은 세상을 새롭게 이해할 좋은 영감이 되어 줄 것이다.

"나와 다른 관점이
내게 특별한 내일을 선물한다."

표현을 확장하는 음악 감상법

문해력이 높은 사람에게는 눈앞의 기회가 매우 선명하게 보인다. 2019년에 아이돌 그룹 아이콘iKON과 앨범 타이틀 곡 〈I'M OKAY〉를 공동 작사할 기회가 있었다. 친한 사람들도 내가 그 곡의 작사가임을 모른 채 노래를 듣다가 그 사실을 알려 주면 깜짝 놀라며 "작사를 배운 적도 없는데, 어떻게 했어?"라고 묻는다. 어려운 일로 보여도 글과 음악을 '연결'할 수만 있다면 누구나 가능한 일이다.

또 한번은 연예기획사의 대표와 미팅을 하다가, 그때 스피커에서 흘러나온 음악을 듣고 떠오른 아이디어를 바로 그에게 제안한 적이 있다. 그 기획사에 소속된 가수가 10여 년 전에 부른 노래를, 요즘 막 인기를 얻고 있는 신예 가수가 새로 부르면 시기와도 잘 맞아 인기를 얻을 수 있을 것 같아서였다. 내 제안을 듣고 대표는 곧 음악 작업에 들어갔고, 그렇게 나온 음원은 기대 이상의 매출을 올리며 인기를 끌었다.

나는 음악을 전문적으로 배운 사람이 아니고 그 두 가수들과 일면식도 없지만, 시간과 공간을 뛰어넘어 그 두 사람을 하나로 연결해 새로운 기회를 만들었다.

음악은 스타일도 다양하고 곁들이는 퍼포먼스가 많아 난도가 높은 예술 중 하나다. 하지만 이를 제대로만 표현하면 주위의 모든 것을 한층 수준 높게 만들 수 있다. 주위를 보면, 처음 듣는 음악이라도 다음 멜로디나 가사를 완벽에 가깝게 짐작하는 사람들이 있다. 높은 수준의 문해력이 그들에게 이런 능력을 가능하게 만든다. 다만 음악을 단순하게 곡의 강약이나 멜로디의 흐름 정도에 집중해서 감상한다면 그것은 음악을 진정으로 감상한다고 말하기 어렵다.

모든 음악에는 그 곡을 만든 사람이 창조한 독창적인 표현의 공간이 있다. 그래서 같은 곡을 들어도 사람에 따라 전혀 다른 감정이 드는 것이다. 우리는 만든 이들이 열어 둔 표현의 공간에 자주 접속해서 최대한 많은 걸 담아 와 자신의 것으로 만들어 보아야 한다.

언어가 가진 힘의 끝이 무엇인지 탐구하며 살았던 철학자 비트겐슈타인Ludwig Wittgenstein의 사례를 보자. 그 역시 음악 감상으로 표현의 공간을 확장할 수 있다는 걸 알고 있었다. 실제로 그는 러셀Bertrand Russell 교수에게 자신이 추구하는 삶에 대해서 이렇게 표현한 적이 있다.

"둔주곡遁走曲을 만들기 위해 방에 들어간 베토벤이 마치 악마와 막 싸우고 돌아온 사람처럼 나왔습니다. 그는 고통에 신음하며 문을 열었는데 당시 그의 집에는 요리사와 하녀가 없었기 때문에 베토벤은 무려 36시간 동안이나 아무것도 먹지 못한 상태였습니다. 저는 앞으로 베토벤과 같은 사람이 될 생각입니다."

그는 단순하게 베토벤의 곡을 감상만 한 것이 아니라, 베토벤이 곡을 만들었던 공간과 시간에 대해서도 연결해 깊이 사색했으며, 베토벤의 화를 견디지 못하고 잠시 피신한 요리사와 하녀의 힘든 마음까지 상상해 자기 사색 안에 담으려고 노력했다. 곡에서 느껴지지 않는 부분까지 모조리 이해하려고 한 것이다.

하루는 비트겐슈타인의 제자가 "최근에 베토벤 교향곡 7번을 들었는데 2악장이 무척 감동적이었습니다"라고 말하자 비트겐슈타인은 창밖을 가리키며 답했다.

"그래, 오늘과 같은 날에 참 잘 어울린다네. 악장을 여는 느린 화음이 저 하늘 색 같이 느껴져 더 그럴테지. 나는 대포 위에 올라가 혼자서 휘파람으로 그 곡의 2악장을 불었지. 지루한 전쟁이 끝날 무렵이었어. 이탈리아 군에 쫓겨 후퇴하고 있을 때였네."

비트겐슈타인은 음악에 대한 느낌을 표현하기 전에 먼저 자신이 그때 처한 상황과 공간 그리고 시간에 대한 묘사를 시작했다. 이런 감상법은 그에게 어떤 음악 전문가들도 발견하지 못한 사실까지도 간파하는 능력을 만들어 냈다.

"악장의 거의 마지막 부분에서 베토벤은 제시부를 처음과 완전히 다른 곡으로 느끼게 하는 조치를 취하고 있어. 이 악장이 우리에게 더 특별하게 다가오는 이유는, 베토벤이 자신의 시대를 넘어서 인류 전체를 위한 음악을 만들었기 때문이지."

고대 그리스의 수학자이자 철학자였던 피타고라스는 최초로 수적 비율 관계로 음정을 분석해 우주의 조화로움이 음악에도 존재한다는 사실을 발견했고, 철학자 플라톤은 음악이 인간의 성격을 바꿀 수 있다고 말했다.

근사한 풍경을 만나면 그걸 본 사람의 표현력도 덩달아 다양해지고 아름다워진다. 같은 공간이지만 보는 것이 다르기에 전혀 다른 것들이 다양하게 공존할 수 있다.

나는 음악 감상으로 문해력을 단련할 때 최대한 가사가 없는 곡을 추천한다. 그래야 악상 깊숙이 들어가기 수월하다. 앞서 언급한 수많은 문해력의 천재들이 했던 것처럼, 지금 음악을 감상하는 자신의 공간과 시간을 섬세하게 느끼며 음악 속으로 들어가, 그가 음악을 만든 공간과 시간을 느껴 보자. 처음에는 내가 설명하는 공간과 시간의 개념이 어떤 것인지 감이 오지 않을 수 있다. 멜로디에 즉석에서 만든 가사를 붙여 보면 내가 말한 의미를 이해하기 수월해질 것이다. 이로써 표현의 공간을 확장할 수 있다면, 더 나아가 세상을 선명하게 바라볼 수 있게 될 것이다.

그날이 올 때까지 베토벤의 이 말을 기억하며 멈추지 않기를 바란다.

"많이 듣고 적게 말하라. 가장 뛰어난 사람은 고통을 통해서 환희를 자신의 것으로 만든다."

한 줄 열 번 생각하기

집에 읽을 책이 많은 건 나쁜 일은 아니지만 한번 잘 생각해 보라. 지난 1년 동안 집에 있는 책 중에 꺼내 읽은 책이 얼마나 되는가? 또한 읽었지만 기억하지 못하는 책이 얼마나 많은가? 무엇이든 하나를 깊이 파면 그 바닥에서 전혀 상상하지 못했던 다른 분야의 가르침을 발견할 수 있다. 우리가 진리에 다가가지 못하는 이유는 읽지 않아서가 아니라 하나의 뿌리까지 닿아본 적이 없어서일 가능성이 높다. 아무리 읽을 책이 많으면 뭘 하나, 다 읽지 않을 책인데. 그래서 나는 책 10권을 골라서 그 책을 10년 동안 읽는 것을 추천한다. 책 1권을 모두 읽기 전에는 다른 책은 거들떠보지도 않겠다는 자세로 하나에 몰입하면 더 좋다.

책은 일단 샀다가 때때로 마음에 드는 것으로 골라 읽는 게 좋다는 사람도 있다. 하지만 나는 이렇게 묻고 싶다. "책을 쌓아만 놓고 읽지 않는다면 백화점 매장에 진열된, 나의 것이 아닌 상품과 뭐가 다른가?" 책을 산다고 나의 것이 되는 게 아니라, 읽어야 나의 것이 되는 것이다.

이런 내용의 글을 읽었다고 해 보자.

"친구와의 약속을 어기면 우정에 금이 가고, 자식과의 약속을 어기면 존경이 사라지며, 기업과의 약속을 어기면 거래가 끊어진다."

이 글을 쓴 사람의 마음을 느끼기 위해서는, 단어 하나까지 제대로 느끼겠다는 마음으로 섬세하게 읽고, 글의 중심 내용인 '친구'와 '자식' 그리고 '기업'을 이어나갈 다른 키워드가 무엇이 있는지 생각해 봐야 한다. 여기에서는 위의 3가지를 키워드의 예로 들었지만 얼마든지 더 길게 글을 이어갈 수 있다. 이를테면, 이런 방식으로 '연인'과 '이웃'이라는 키워드로 문장을 연결할 수 있다. "연인과의 약속을 어기면 추억에 금이 가고, 이웃과의 약속을 어기면 서로를 향한 믿음이 사라진다."

앞서 한 줄을 제대로 읽는 위대한 힘에 대해 이순신 장군의 〈난중일기〉를 들어 설명한 것처럼, 한 줄을 바라보는 시선을 확장하면 그 한 줄이 내게 짐작할 수 없는 거대한 깨달음을 준다. 책은 누군가의 생각이 담긴 기록물이다. 이 기록물을 읽으며 우리는 각자 자기 생각을 기록할 줄 알아야 한다. 여기에는 형식이 없다. 이는 리뷰도 아니고, 독후감도 아니다. 작가의 생각을 요약하는 것도 아니다. 작가의 생각에 관해 자신의 견해를 써 나가는 것이다. 맞다. 내가 또 다른 책을 한 권 쓰겠다는 마음이어야 한다.

책을 사는 재미에 팔려 정작 읽는 일에는 소홀했다면 다시 생각하라. 열 줄을 읽는 것보다 한 줄을 열 번 생각하는 게 낫다. 전자는 그저 읽기만 하는 독서이지만 후자는 열 번의 질문이 필요한 사색하는 독서이기 때문이다. 독서에는 4가지 단계가 있다. 가장 낮은 단계는 읽는 데 급급해서 자신이 무엇을 읽었는지 기억조차 하지 못하는 것이고, 그다음은 반대로 자신이 읽은 내용을 암기해서 줄줄 외울 정도의 수준이 되는 것이다. 하지만 둘 다 수준 높은 독서라고 말할 수는 없다. 읽은 내용을 주제로 글을 쓰거나 인용해서 타인과의 대화에서 사용할 수 있을 때 비로소 약간 수준이 높아졌다고 할 수 있으며, 지금 자신이 고민하는 문제에 대한 해결책을 발견할 수 있는 단계에 이르러야 더 높은 수준에 도달했음을 증명할 수 있다. 그리고 모든 감정의 본질과 세상의 이치를 정확하게 파악해서 어떤 급한 일이 있어도, 세상이 변해도 흔들리지 않고 중심을 바라볼 수 있는 눈을 가졌을 때 비로소 최고 수준에 도달했다고 말할 수 있다. 모든 것은 수백 권이 아닌 한 권에서, 다시 한 권이 아닌 한 줄에서 시작한다. 한 줄을 소중하게 생각하는 마음으로 돌아가 한 권의 책을 읽어보자.

사물을 바라보는
3단계 과정

내겐 사물을 보는 나만의 3단계 과정이 있다. 하나는 겉에서 관찰하는 것이고, 또 하나는 속에서 외양을 보는 것이다. 마지막으로 다시 겉과 속 양쪽 모두를 바라보는 것이다. 그런데 많은 사람이 사물이나 환경을 겉에서만 관찰한 채, '그것을 다 안다'라고 말한다. 그리고 그게 진실인 것처럼 자기 생각을 주장한다.

하루는 '서울역 노숙자'에 대한 시를 쓰고 싶어졌다. 시를 쓰기 위해 내가 가장 먼저 한 것은, 겉에서 그들을 관찰하는 것이었다. 그리고는 그들처럼 살아 보려고, 며칠 동안 실제로 그들과 살았다. 밥을 같이 먹고 술도 함께 하면서, 그들처럼 생각하고 그들의 시선으로 바깥을 바라봤다. 그리고 다시 밖으로 나와, 그들과 경험한 시간의 눈과 마음으로 그들을 겉에서 바라봤다.

이 단계를 거치며, 그들을 바라보는 내 생각은 완전히 달라졌다. 평소 '나는 그들을 안다'라고 생각했었지만, 나는 그들을 아예 모르고 있었다. 겉에서 볼 때 다르고, 안에서 볼 때 다르고, 모든 것을 경험한 후에는 정말 다르다. 내가 책 1권을 내는 데 아주 긴 시간이 필요한 이유가 바로 여기에 있다. 결론을 정해둔 채 단순하게 겉에서만 관찰하는 게 아니라, 모든 가능성을 허락한 시선으로, 위의 3단계를 거친 후에야 비로소 한 줄을 쓸 수 있기 때문이다.

나의 한 줄은 그렇게 적힌다.
머리가 아니라 가슴이 시킨다.

만약 대상에 대해 충분히 이해할 수 없다면 당신은 한 줄도 쓰지 말아야 한다. 이해와 수용은 다르기 때문이다. 이해는 저절로 알게 되는 것이고, 수용은 억지로 안다고 주장하는 것이다. 무언가를 이해한다는 한 마디 말을 하기 위해서는, 반드시 위의 세 단계를 거쳐야 한다. 그래야 이해한다는 말을 할 자격을 얻을 수 있다.

지금 한 번 평소에 관심을 갖고 있던 대상 하나를 선정해서 내가 서울역에서 노숙자를 이해하기 위해 한 것처럼 3단계 과정을 거쳐 관찰해 보라. 설명을 열 번 듣는 것보다 실제로 한 번 연습

5장. 정보와 지식을 흡수하는 자기만의 방식

해 보는 것이 더 효과적이다. 몰입과 관찰로 나온 결과는 오직 그
것을 체험한 그 사람만의 것이라 더욱 가치가 있다. 그것은 자신
의 세계 안에 역사를 하나하나 써 나가는 일이라고 말할 수 있다.
실제로 3단계 과정을 거쳐 관찰을 했다면, 이제 다음 파트로 넘
어가서 대문호 괴테의 관찰법을 읽으며 무엇이 자신과 다른지 살
펴보라. 그리고 괴테처럼 농밀한 시선으로 대상을 관찰하려면 어
떤 기술과 태도가 필요한지 생각해 보자.

"스스로 이해할 수 없다면
단 한 줄도 쓰지 마라."

괴테의 조각상을 관찰하며
알게 된 훈련법

지인의 별장에서 개최된 유력 인사들의 모임에 참석한 괴테는, 대성당의 전면과 그 위에 솟은 탑을 유심히 관찰하고 있었다. 그때 너무 심각하게 탑을 바라보던 괴테를 조금 이상하게 생각한 누군가가 이렇게 말을 걸었다.

"전체가 완성되지 않아 한쪽 탑밖에 없으니 참으로 유감이군요."

그러자 괴테는 바로 이렇게 응수했다.

"이 한쪽의 탑이 완성되지 않은 것을 저도 유감으로 생각합니다. 왜냐하면 4개의 소용돌이가 짜임새 없이 끊어져 있으니까요. 그 위에 4개의 가벼운 첨탑이 붙고 또 십자가가 서 있는 한 가운데에도 더 높은 첨탑이 올라갈 예정이었겠죠."

괴테가 확신에 가득 찬 표정으로 거침없이 말하자, 이를 못마땅하게 여긴 한 남자가 이렇게 물었다.

"아니, 대체 누가 그렇게 말하던가요?"

괴테는 당황하지 않고 간단하게 이렇게 답했다.

"저 탑 자신이죠. 나는 이 탑을 오랫동안 유심히 관찰하였고 또 많은 애정을 쏟았기 때문에 탑 쪽에서도 마침내 자신의 공공연한 비밀을 털어놓을 결심을 해 준 겁니다."

감탄이 절로 나오는 괴테의 답변이다. 이건 단순하게 순간적인 대처 능력이 좋다고 할 수 있는 수준의 표현이 아니다. 그가 구사한 언어는 마치 답안지를 미리 본 학생이 말하는 것처럼, 정답이 뭔지 분명한 확신이 들지 않으면 나올 수 없는 것이다. 이 놀라운 대상에 대한 괴테의 확신은 어디에서 시작한 걸까?

괴테는 항상 사물을 고생스럽다고 표현할 정도로 관찰해 비로소 어떤 개념에 도달하는 과정을 반복했다. 만약에 그 개념이 처음부터 다른 사람에게서 배운 것이었다면 그것은 그의 주의를 끌지도 않았을 것이고, 수확을 거두지도 못했을 것이며 누군가에게 확신에 찬 답변을 할 수도 없었을 것이다.

그가 어떤 마음으로 대상을 관찰하는지, 그 치열함을 엿볼 수 있는 사례가 하나 있어 소개한다. 미술관 관람을 위해 만하임Manheim에 도착한 그는 억누를 수 없는 흥분에 사로잡혀 서둘러 목적지인 고대 미술관으로 달려갔다. 조수 한 사람이 그를 진열실로 안내했고, 열망에 가득한 그의 눈빛을 발견한 조수는 괴테가 마음껏 작품을 관람할 수 있도록 혼자 남겨 두었다. 자, 이제

문해력 공부

괴테의 관찰이 시작된다. 괴테의 조각상 관찰법은 크게 3가지다. 괴테의 행동과 생각의 경로를 묘사한 다음 글을 통해 그의 관찰법을 흡수해 보자.

먼저 전체적인 분위기를 관찰한다. 상상만 하던 찬란한 작품을 앞에 두고 기쁨과 행복에 사로잡힌 그는, 넓고 네모진 아주 높은 천장, 정육면체를 이룬 넓고 아름다운 방을 고귀한 눈으로 바라보았다. 그는 의식적으로 벽 장식 아래의 창을 통해 위에서 충분히 채광된 방에 서 있었다. 먼저, 대상을 한눈에 제대로 바라보기 위해서다. 고대의 멋진 조각상들이 사면의 벽을 따라 늘어서 있는 그 모습을 보며 그는 감격에 겨워 눈을 감았다. "이것은 내가 헤치고 지나가야 할 조각상의 숲이고, 헤치고 가야 할 대규모 민중 집회이다." 그는 자기 앞에 당당한 자부심으로 서 있는 조각상들이 내뿜는 압도적인 인상을 잠시 견딘 뒤, 가장 자신의 마음을 끄는 조각상 쪽으로 걸어갔다.

개별적인 부분에 초점을 맞춘다. 괴테는 먼저 수많은 조각상 사이에 우뚝 서서 주변에 흐르는 기운을 느끼며 눈빛으로 모든 감각을 압도했다. 그리고 그가 가장 사랑하는 작품 중 하나인 〈라오콘 군상Laocoon's Group〉에 눈을 돌렸다. 아들과 함께 있는 모습의 조각을 처음 본 그는, 라오콘에 대해 이제까지 논의되고 논쟁한 것을 마음속에 동시에 떠올리면서 나름대로 어떤 관점을 얻으려고 애를 썼으나 쉽게 떠오르지 않아 이리저리 끌려다닐 뿐이었다. 눈을 감고 그는 다시 중심을 잡으려고 노력했다. 그에게 관찰은 질 수 없는 싸움과도 같았다. 라오콘은 잠시 잊기로 하고, 발을 돌려 〈죽음 직전의 검투사〉라는 작품 앞에 섰다. 그 조각상은 그의 발걸음을 오랫동안 멈추게 하였다. 간혹 이미지가 눈에 잡히지 않는 군상을 볼 때는 억지로 이미지를 가공하며 자신의 것으로 만들어 보기도 했다. 그러다 보면 무엇인가 명확한 것을 파악하는 데에 성공할 수는 없었지만, 최소한 군상 하나하나가 모두 중요성을 가지고 있다는 것은 느낄 수 있었다.

본질에 대해 성찰한다.　그가 결국 가장 심도 있게 관찰한 것은 라오콘이었다. "왜 그가 소리를 지르지 않고 있는가?"라는 유명한 질문에 대해, 괴테는 "그는 외칠 수가 없었다"라고 마음 속에 분명히 말함으로써 나름대로 어떤 관점을 찾았다. 세 사람의 자세나 움직임은 그에게 매우 선명한 이미지로 다가왔다. 그는 매우 정교하고 치밀함과 동시에 무리한 곳이 있는 자세 전체는 두 가지 계기로 이루어져 있다고 생각했다. 하나는 뱀에 대한 저항이고, 다른 하나는 뱀에게 물리는 순간을 피하려 하고 있다는 것이다. 괴테가 생각하기에 뱀에 물린 엄청난 고통을 덜기 위해서는 아무래도 아랫배에 힘을 주어 고함을 지르는 것이 불가능할 수밖에 없었다. 군상을 그저 관찰하는 것만으로 소리를 지르지 않았던 이유를 짐작한 것이다. 괴테는 아들은 뱀에게 물리지 않았다고 예상하는 것과 동시에 이 군상에 대한 사소한 의견까지 피력하려고 애를 썼다. 그는 어떤 관찰에도 중요하지 않은 것은 없음을 알고 있었다.

그는 관찰에 관한 이런 깨달음을 얻었다. 비판을 위한 비판을 억제하고, 오직 대상을 바라보며 경탄한 것들을 자기 안에 담을 줄 아는 이들은 마치 남몰래 열매를 맺는 꽃처럼 그 무엇과도 바꿀 수 없는 귀중한 삶을 얻은 것이다. 그렇게 대상의 뛰어난 점이나 훌륭한 것을 따지거나 분석하지 않고 그 영향을 받는 대로 우리를 흐름에 내맡긴다면, 우리는 모든 조각상을 관찰하며 다시없는 행복을 맛볼 수 있다.

음악도 마찬가지여서 잘 쓴 가사는 시에 가깝다. 방대한 분량의 소설도 심지어는 자기계발서도 잘 쓴 글은 시처럼 읽히고 가슴에 남는다. 모든 게 마찬가지 맥락이라 예술은 모두 통한다고 말할 수 있다. 잘 만든 건축도, 정성을 다한 조각상도 결국에는 시처럼 읽힌다. 괴테가 평생 시의 가치를 논했던 이유도 관찰의 이유와 맞닿아 있다. 시를 읽듯 대상을 관찰해야 하고, 근사한 대상을 관찰하며 우리는 그 끝에서 다시 시를 만나게 된다.

문장 구조를
내밀하게 살피는 방법

'음치音痴'로 사는 것보다 괴로운 것은, 문자 해득文字解得 능력이 없는 '문치文痴'로 사는 삶이다. 노래는 부르지 않고 살 수 있고 이탈한 음이 개성으로 발현될 수도 있지만, 글을 해독하지 못하고 이해하지 못하는 사람은 살아가는 일 자체가 고역이다. 제대로 표현하지 못해 늘 진심을 의심받고, 제대로 이해하지 못해 늘 엉뚱한 일에 힘을 빼서 시간을 버린다.

모든 글은 액면 그대로 보면 속는다. 작은 집 하나를 건축할 때도 섬세하게 표현한 도면이 필요한 것처럼 짧은 문장 하나를 이해하려면 그 안에 존재하는 구조를 파악할 수 있어야 한다. 옷의 구조를 보려면 뒤집어 봐야 하는 것처럼, 글과 말의 구조를 보려면 구조가 보일 때까지 내밀한 이야기를 찾아내야 한다.

이제는 문해력이 곧 자신의 가치를 보여주는 세상이다. 지금까지는 각자 전문 분야에 대한 이해만 있다면 최소한의 물질적 여유와 미래를 보장받을 수 있었다. 그래서 그것이 경쟁의 늪이라는 사실을 알면서도 대학에 갔고 학위를 받거나 대기업에 입사했다. 경제학, 문학, 사회학, 과학, 수학, 행정학 등 수많은 분야의 전문가들은 이제 자기 분야의 전문가가 아닌 다른 분야의 전문가와 경쟁해야 살 수 있다. 과학의 눈으로 문학을 볼 수 있어야 하며, 거기에서 나온 새로운 영감을 다시 철학에 적용해서 생산적인 이론을 창조해야 한다. 세계는 이제 뒤죽박죽이 아닌, 거대한 융합의 시대로 접어들었다. 대충 살아서는 살아낼 수 없는 시대인 것이다.

자신의 전공 분야를 바탕으로 다른 전문 분야의 지식을 응용하기도 하고, 전에 없던 새로운 시각으로 문제에 접근하기도 하며, 수많은 분야 전문가를 당신의 머리에 넣고 24시간 내내 만나 생산한 것을 풀어내야 한다. 이러한 작업의 중요성을 알고 있는 사람들은 저마다 다른 곳을 바라보며 다른 것을 생각하라고 강조한다. 그건 누구도 반박할 수 없는 가장 확실한 창조성을 기르는 답이다. 그런데 왜 우리는 그 간단한 것을 실천하지 못하는 걸까? 이유는 간단하다. 자신이 얼마나 비슷한 일상을 살고 있으며 비슷한 생각을 하고 있는지 깨닫지 못해서다.

예를 들어 당신이 좋아하는 햄버거가 할인 행사를 하는 날에, 당신은 지갑을 챙겨 나와 이리저리 한참을 걸어 가게의 가장 안

쪽에 있는 키오스크를 작동하는 수고를 들여서라도 즐겨 먹는 햄버거와 언제나 행사 품목에 있는 프렌치프라이를 주문할 것이다. 자, 여기에서 한번 생각해 보자. 당신이 햄버거를 사러 가는 길에 생각할 필요가 있는 지점이 하나라도 있는가? 정해진 날, 정해진 도로를 지나, 정해진 음식을 사 먹는다는 것은 무엇을 의미하는가? 과거에 반복했던 것을 또 반복하는 행위다.

우리는 유사한 일상을 자주 반복하며 살고 있다. 문제는 일상의 반경이 좁아지는 게 아니라 언어의 반경이 좁아진다는 점이다. 창조적 일상이 무엇인지 알면서도 그런 삶을 살지 못하는 이유가 바로 내면을 관리하는 언어의 반경이 넓지 않아서이다. 세상에 유행하는 표현을 빼고 우리가 사용하는 단어와 표현이 얼마나 뻔한지 아는가. 고만한 언어를 매일 쓰면서 우리는 점차 성장 없는 나날을 보내게 된다. 그래서 그 사람이 사용하는 언어의 수준이 곧 그 사람이 만날 미래의 수준을 결정하는 것이다.

문장의 구조를 내밀하게 살피는 것은 듣기에는 다소 어려운 일이다. '문장'과 '구조'라는 단어가 주는 어감 때문이다. 그러나 이를 이렇게 바꿔 보면 좀 더 쉽게 접근할 수 있다.

"'일상'에서 사용하는 '언어'의 반경을 조금씩 넓히며 살자."

나는 '융합'이 시대의 화두가 되기 훨씬 전부터 삶에서 이를 실천해 온 괴테, 니체, 소크라테스, 다빈치와 같은 사람들의 문해력을 연구해 왔다. 살아가는 것만도 녹록지 않은 세상에서 일상

198
•
문해력 공부

의 언어까지 신경을 쓴다는 것이 무리일 수 있다. 그래도 이제는 대충 살아서는 살 수 없는 시대이기에 언어를 대하는 자기만의 방식이 꼭 필요하다.

사람과 사물을
카테고리 안에 넣기

기억하려는 의지를 갖지 않으면 우리는 방금 나눈 대화도 바로 잊게 된다. 갓 나눈 대화도 잊히니, 어제 혹은 최근 다녀온 여행에서 느낀 감정과 영감은 아예 기억에서 사라질 수도 있다. 그러나 기억은 의지만으로 남겨두기는 어렵다. 분명한 방법이 있어야 그 안에 마음의 기억을 남길 수 있다.

나는 사람과 사물을 볼 때 각기 이렇게 구분해서 기억하려고 노력한다. 일단 사람을 지켜볼 때는 "이 사람의 장점은 무엇인가?", "이 사람의 장점은 어디에서 시작한 걸까?", "내가 이 사람의 장점을 나의 것으로 만들려면 어떤 방법으로 시작해야 할까?" 이런 3가지 방식으로 사람을 만나 느낀 감정과 영감을 정리한다. 이렇게 정리하면 굳이 외우려고 하지 않아도 기억하게 된다. 의식적으로 생각한 것은 자꾸 잊히지만 사색한 것은 결국 남아 있다. 의지를 갖지 않고 바라보면 생각에 그치고, 내가 시도하는 것처럼 3단계 원칙으로 사람을 바라보면 사색하게 된다.

사물을 볼 때는 조금 다르다. "이 사물(물건)을 누구와 함께 보면 좋을까?", "그 이유는 무엇인가?", "그는 이 사물(물건)을 어떤 방식으로 바라볼까?" 이것이 내가 사물을 바라보는 방법이다. 사물을 볼 때는 그 사물을 가장 섬세하게 볼 수 있을 것 같은 사람을 상상 속으로 불러서 나를 대신해 그가 사물에 자꾸 질문하게 만든다. 이를 통해 발견한 영감을 나는 기억하게 된다.

이렇게 사람과 사물을 각각 분석하고 기억한 것을 카테고리별로 분류한다. 카테고리는 자기계발, 인문학, 철학, 자녀교육, 경제, 경영, 재테크, 언어 교육 등 다양하다. 내가 보고 느낀 것을 서로 연결해서 가장 적당한 카테고리 안에 넣는다. 아무리 위대한 것을 보며 대단한 것을 느껴도 그것을 마구잡이로 기억하면 나중에 정말 하나도 기억이 나지 않고, 의미가 없는 것이 되어 버린다. 바로 잡은 생선을 요리하는 게 가장 맛있는 것처럼, 지금 떠오른 영감은 바로 카테고리를 정해야 한다. 그래야 시들지 않는다.

그렇게 카테고리를 정했다면 이번에는 그 안에 담겨 있는 콘텐츠에 대한 사색이 필요하다. 최근 언택트untact 시대가 본격화되면서, 강연 대부분이 온라인으로 바뀌어 진행되고 있다. 이런 시대가 아직 맞지 않는 사람도 있겠지만, 카테고리를 제대로 정하고 그 안에 적절히 콘텐츠를 담고 살았던 사람에게는 오히려 지

5장. 정보와 지식을 흡수하는 자기만의 방식

금이 더 활동하기 좋은 시대일 수 있다. 강연에 필요한 연극적 요소, 각종 퍼포먼스, 화려한 PPT 자료로 눈길을 끌 필요 없이, 언제 어디에서나 스위치만 누르면 자신의 카테고리 안에 있는 어떤 콘텐츠든 꺼내어 이야기를 나눌 수 있기 때문이다. 즉 콘텐츠만 분명하다면 껍데기는 과감히 버릴 수 있는 시대이다. 앞으로는 이런 상황이 일상일 것이다. 지금까지 알맹이 없이 나름대로 살아갈 수 있었다면, 이제는 상황이 완전히 달라졌다.

"보여주기 위해서가 아니라,
살기 위해서 콘텐츠가 필요하다."

물론 콘텐츠는 카테고리를 정해 열심히 살며 배운다고 저절로 쌓이는 것이 아니다. 원칙이라고 부를 수 있는 다음 3가지 능력이 필요하다.

더 배우지 말고, 더 활용하라. 배우려는 자세는 매우 훌륭하다. 그러나 배움을 멈추지 못한다는 것은 무엇을 의미하는가? 배운 것을 활용할 줄 모른다는 증거다. 배운 사람은 반드시 그것을 적절히 활용하며 살아야 한다. 그래야 배웠다고 말할 수 있다. 현재 가지고 있는 지식을 활용해서 새로운 문제를 해결할 줄 알아야 한다. 새로운 상황을 이해하기 위해 더 배우려는 사람은 하수다.

고수는 현재 알고 있는 지식으로 풀리지 않는 상황을 해결한다. 지혜롭게 살고 싶다면, 많이 배우지 말고 넓게 활용하라.

다르게 구체적으로 바라보는 힘을 활용하라. 그럼 어떤 방법으로 넓게 활용할 수 있을까? 이제 지능지수만이 중요한 시대가 아니다. 어떤 지점을 다르게 보거나 구체적으로 볼 줄 아는 능력이 필요하다. 어떤 장소나 공간에 들어갈 때는 늘 "여기에서 나는 무엇을 얻고 싶은가?"라는 질문에 대한 답을 낸 상태이어야 한다. 산책과 독서, 콘서트장, 미술관 등 모든 것이 공간 안에서 이루어지는 예술이라는 사실을 기억하자. 공간은 책과 같아서 질문하면 가장 좋은 답을 내어 준다. 다만 그곳에 머무는 내내 모든 정보에 신경을 집중해야 한다. 눈을 감거나 멈추라는 말이 아니다. 내면에 존재하는 감각을 일제히 끌어올려 주변을 감싸듯 담으라는 말이다. 그럼 당신이 존재하는 공간이 조금씩 가치 있는 정보를 흘려줄 것이다. 그것은 단어나 섬세하게 나누어진 표현의 조각일 수도 있다. 그걸 혼잣말로 반복해서 중얼거리며 집중하자. 그럼 모든 단어와 조각난 표현은 입 안에서 흔들리며 서로 짝을 맞춰 연결될 것이다.

하나를 백 번 활용하라. 뭐 하나를 위해 늘 배워서 할 필요는 없다. 콘텐츠도 마찬가지다. 문해력의 천재들은 남보다 많이 아는 사람이 아니라 다양하게 연결할 줄 아는 사람들이다. 다시 말해 다양한 영역에서 수준 높은 통찰을 하기 위해서는 각 부분에 대한 정보를 그저 쌓는 것이 아닌 연결할 줄 알아야 한다. 방금 알게 된 정보의 한 지점을 과거 어느 순간 배운 다른 정보의 어떤 지점과 연결한다고 생각하면 쉽게 이해할 수 있다. 빛을 받는 각도에 따라 다이아몬드가 달리 빛나듯, 정보를 서로 연결할 수 있는 지점은 생각에 따라 얼마든지 많을 수 있다. 새롭게 창조할 수 있는 가능성이 무한대로 많다는 뜻이다.

사람과 사물을 카테고리 안에 넣는 것으로 끝이 아니라 양질의 콘텐츠를 담는 일이 중요하다. 콘텐츠는 쌓은 것까지가 아니라 활용한 것까지가 완성이다. 영역을 나누고 거기에 무인가를 하염없이 쌓는 것은 기계도 할 수 있다. 나름의 기준으로 분류하고, 서로 완벽하게 다른 것을 완벽하게 연결하는 것은 사람의 몫이다. 그렇다. 이것은 사람의 일이다. 이 일에서 당신만 만들어 낼 수 있는 가치를 놓치지 말라.

다르게 읽어야 다른 걸 발견한다

: 문해력의 본질은 독서에 있다

한 줄만으로 장악하는
문해력 천재들의 비밀

세상에 존재하는 모든 것은 형태는 다르지만 결국 모두 상품이다. 각각이 수많은 사람들의 손에서 일련의 과정을 통해 완성된 것이기 때문이다. 그렇게 이 세상에 수많은 상품이 더해지고 있다. 중요한 건 폭발적인 반응으로 트렌드를 주도하는 상품이 있지만, 어떤 것은 나오자마자 사라진다는 것이다. 노력의 차이라고 말하기에는 그 격차가 너무나 크다. 상황을 볼 줄 안다면, 다른 곳에서 그 원인을 찾을 수 있다. 나는 지난 수년간 예술, 문화, 경영 등 수많은 영역에서 대가로 활동하고 있는 사람들을 만나 함께 연구하면서 이러한 격차의 배경에 '장악력'이 있다는 걸 알게 되었다.

먼 곳에서 찾을 필요도 없다. 요즘 유행하는 영화가 하나 있다고 치자. 그 영화에 관해 설명해 보자. 아직 영화를 보지 않아 불가능하다? 좋다, 그럼 전에 재밌게 봤었던 영화를 시도해 보면 어떨까? 누군가에게 설명이 가능한가? 아마 이 또한 쉽지 않을 것이다.

내가 안다고 생각하는 것과 그것을 타인에게 설명하는 것은 완전히 다르다. 그 대상을 온전히 장악한 사람만이 누구나 이해하기 쉬우면서도 깊이를 더한 설명을 할 수 있다. 쉬운 예를 하나 더 이야기 해 보자. 피카소라면 제일 먼저 어떤 이미지가 그려지는가? '쉽게 이해할 수 없는 작품을 그린 화가'라는 생각이 들 것이다. 그의 그림에 대해 부정적으로 생각하는 사람이라면 "이런 그림은 유치원에 다니는 아이들도 그릴 수 있다"라고 할 수도 있다. 잘 모르는 사람이 보면 피카소의 작품은 내키는 대로 아무 색이나 골라 아무렇게나 쓱쓱 칠한 것처럼 보일 수 있다. 하지만 피카소가 왜 그 색을 선택했고 왜 그 부분에 한 줄의 신을 그었는지부터 이해할 수 있다면 점차 그의 작품 세계를 이해하고 설명할 수 있게 된다.

"그것이 어떤 의미를 가지고 있는지 설명할 수 없다면 아무런 가치가 없지만, 마음에 닿을 수 있게 설명할 수 있다면 그때부터 예술적 가치가 생긴다."

피카소와 피카소가 아닌 사람의 결정적 차이를 알고 나면 보이는 게 달라지듯 어쩌면 설명할 수 있는 능력이 히트 상품을 만드는 문해력 천재들의 격을 만든다고 할 수도 있겠다.

문해력 공부

처음부터 많은 것을 가질 수는 없다. 그래서 한 줄 만드는 연습부터 시작하면 문해력을 키우는 과정이 좀 더 수월해진다. 나역시 매일 반복적으로 연습하는 방법이다. 한 줄이 모여 결국 하나의 거대한 상품이 탄생하는 거니까.

"하나를 보고, 하나를 실천해서, 하나를 설명해 보라." 내가 히트 상품 창조의 대가들에게서 발견한 비밀이자, 한 줄로 정리한 바이다. 간단하다. 이를테면 산책 중에 본 풍경이나 신문에서 읽은 것 중 자신의 눈에 남은 한 줄에서 시작해 보자.

"다국적 커피 기업 스타벅스는 한국에서 유독 인기가 높다. 스타벅스 본사가 위치한 미국에서는 흑인 인종차별 사건 이후 불매운동까지 일어나면서 그 논란이 전 세계로 번지고 있는 추세이지만, 한국 스타벅스의 성장은 이러한 논란에도 흔들림이 없다."

나는 여기에서 "스타벅스는 한국에서 유독 인기가 높다"라는 한 줄을 발견했다. 그리고 바로 다음 과정으로 돌입한다. 실제로 스타벅스 매장에 가서 정말 인기가 많은지, 그 이유가 무엇이며 나는 무엇을 느끼게 되었는지를 체험하는 것이다. 그 체험의 과정은 이렇게 3단계로 진행된다.

사실을 분석한다. 책과 검색을 통해 매출액과 매장 수 등 스타벅스에 대한 각종 숫자를 확인한다. 다른 것들은 글을 쓴 사람의 주관적 생각이 섞였을 가능성이 크기 때문에 이 단계에서는 무시

6장. 다르게 읽어야 다른 걸 발견한다

하는 게 좋다.

— 2018년, 전국 1,150개 직영매장을 운영하고 있다.
— 2017년, 스타벅스코리아 매출액은 1조 2,634억 원, 국내 커피전문점 중
　최초로 매출 1조 원을 넘었다.
— 영업이익은 1,144억 원으로 전년 대비 각각 26%, 34% 증가했다.

여기까지가 팩트다. 팩트 점검이 제대로 되어야 생각이 바른길을 찾을 수 있다. 확실하다고 생각할 때까지 반복해서 검증한다.

사실을 분해한다. 이제 각종 사실에 본격적으로 통찰을 더하기 위해 다양한 질문을 해야 한다. 최대한 다양한 영역의 질문을 던져야 누구도 발견하지 못한 새로운 지면을 발견할 수 있다.
"왜 스타벅스 커피는 한국에서 유독 잘 팔릴까?"
"다른 나라에서 스타벅스는 어떤 평가를 받고 있나?"
"스타벅스가 팔리지 않는 나라도 있을까?"
이렇게 앞에서 확인한 사실을 쪼개서 다양한 영역으로 연결한 질문을 자신에게 반복해서 던져보자. "답하지 못하면 어쩌지?"라는 걱정은 할 필요가 없다. 질문 그 자체가 중요하기 때문이다.
생각을 연결한다. 위에서 나온 질문과 답변을 토대로 '내 생각'이라고 부를 수 있는 것을 추출해서 그것들을 서로 맞게 연결하

는 과정이다. 이때 다음 사항을 꼭 지키며 진행하는 게 좋다.

 -하나의 주장을 맹목적으로 따르지 않는다.
 -오래된 규칙에서 벗어나 새로운 질서를 창조한다.
 -모두의 것이 아닌 나의 것을 추구한다.

나는 질문과 답변을 통해 곧바로 독일에서의 경험을 떠올렸고, 거기에서 유독 다른 나라에 비해 스타벅스를 자주 볼 수 없다는 걸 알았다. 관광지 근처에만 지점 몇 개가 있었고, 이용자 대부분이 관광객이었다는 기억도 났다. 그리고 다시 스스로 물었다. "그 이유가 무엇인가?" 답은 바로 나왔다. 몇 종류의 스타벅스 커피로 독일인의 입맛을 만족시킬 수 없다. 또 그들에게는 단순하게 커피만 중요한 게 아니었다. 독일에서는 커피 마시는 곳의 분위기도 중요하다. 그렇게 나는 지금까지의 정보와 생각을 연결해서 이런 한 줄을 얻게 된다. "독일에 있는 스타벅스는 한국처럼 뜨거운 사랑을 받지 못한다."

알아낸 사실을 자신에게 설명해 본다. 이 단계가 중요한 이유는 위에 적은 한 줄에 신뢰가 생기기 때문이다. 마치 강의하듯 진지하게 설명하면서, 그 한 줄에 강한 믿음을 부여한다. 이 과정을 반복하면 할수록 그 믿음은 상품에 대한 강한 확신으로 바뀔 것이다. 또한, 자기 생각을 타인에게 적용했을 때 발생할 수 있는 부분이 무엇인지 짐작할 수 있게 해 준다. 부족한 부분이 무엇인지 발견하고 그것을 최대한 완벽해질 때까지 채우면서 그 한 줄을 확장한다. 그럼 그 과정이 어떤지 보자. "독일에 있는 스타벅스는 한국처럼 뜨거운 사랑을 받지 못한다"라는 한 줄 생각을 자신에게 설명하는 과정에서, 우리는 자연스럽게 커피가 아닌 다른 영역으로 이동해서 다른 것도 보게 된다. 이를 통해 우리는 일상에서 마주치는 모든 장면에서 분야를 허물고 자기만의 것을 가질 수 있게 된다. 또한, 일시적인 것이 아니라 영원한 것을 발견하고 바라보게 되면서 쉽게 변하지 않는 진리를 깨우치게 된다.

이를테면 그 과정은 이런 것이다. "커피와 마찬가지로 독일에서 오랜 역사를 지닌 업종이 뭘까?"라고 생각하며 우리는 바로 커피라는 영역에서 호텔이라는 다른 영역으로 이동하게 된다. 그럼 다시 이런 지식과 경험이 줄을 잇는다.

— 독일에서 판단하는 가장 좋은 호텔의 기준은 화려한 인테리어가 아니라 오랜 역사다.
— 도시 중앙에 있는 호텔도 좋지만, 숲 중앙에 있는 호텔도 많은 인기를 얻고 있다.
— 도시 중앙에 위치한 새로운 호텔은 잘 생기지도 않고 사람들이 잘 찾지도 않는다.

그렇게 독일에는 도시와 자연을 동시에 즐길 수 있는 곳에 최고의 호텔이 있다. 또한, 독일의 호텔에서 100년 이상의 역사를 지닌 커피를 제공한다. 그러므로 독일에 있는 호텔에 커피를 공급하고 싶다면 이미 그곳에 있는 커피의 수준을 뛰어넘어야 한다. 100년 이상의 역사를 지닌 커피전문점은 오전 8시부터 줄을 서지만, 그 옆 스타벅스에는 줄을 선 광경을 본 적이 없다.

마침내 나는 이런 한 줄의 정수를 얻는다.

"독일의 스타벅스는 왜 호텔과 경쟁하는가?"

이제 이 한 줄로 책을 쓰거나 2시간의 강의도 할 수 있다. 분야도 다양하다. 기업가라면 바로 경영전략에 적용할 수 있고, 교육자라면 교육 이론으로 변주할 수 있다. 그래서 나는 늘 강조한다. 세상의 모든 상품은 결국 한 줄의 장악력에서 나온 것이다. 자기 자신도 이해할 수 없는 것은 세상 그 누구에게도 이해시킬 수 없다. 스스로 완벽하다고 생각할 정도로 이해하지 못한 상태에서는 그 한 줄의 가치를 세상에 전할 수 없다. 식당에서도 마찬가지다. 직원에게 메뉴에 관해서 물었을 때 "이 정도면 충분해"라는 마음이 들 정도로 메뉴에 대해서 완벽하게 설명해 주면 그 메뉴를 주문하지 않을 수가 없다. 모든 상품이 마찬가지다. 그 상품에 대한 믿음은 그걸 파는 사람의 온전한 이해에서 나온다. 무언가를 발견해서 설명할 수 있게 되면, 당신은 그걸 아주 많은 사람에게 전할 수 있다.

모두 거의 비슷한 것을 보며 산다. 누군가는 혁신적인 제품을 기획하고 생산한다. 어떤 분야든 마찬가지다. 분야가 중요한 것이 아니라, 대상을 바라보는 시각과 그것을 읽는 안목이 결정적인 역할을 한다. 스스로 확신할 수 있는 한 줄을 연구하고 구체화하며, 그걸 다양한 영역의 콘텐츠로 발전시킬 수 있다면 당신은 언제라도 무엇이든 할 수 있다. 이 부분은 개인의 문해력을 높이기 위해 매우 중요한 지점이므로, 다음 지적 읽기 파트를 통해 좀 더 세밀하게 접근해 보자.

지적 읽기의 의미

이미 책에서 몇 차례 언급했지만, '지적인 독서'야말로 책을 적극 활용헤 텍스트를 읽어내는 방법으로 문해력을 높일 수 있다. 당신의 하루를 돌아보라. 우리는 눈만 뜨면 무언가를 읽기 시작한다. 커피를 내리며 보이는 연기와 향기도, 그걸 마시며 느껴지는 연한 감각과 혀로 느껴지는 촉각도 결국 우리가 읽어내는 그 무엇이라고 볼 수 있다. 굳이 책이 아니어도 좋다. 나는 일상에서 그렇게 읽어낸 선율이든 형체 혹은 이미지든 모든 것을 나의 생각과 연결해 매일 글로 표현하려고 한다. 이런 글을 '일상의 글쓰기'라고 생각한다.

살아가는 동력을 일상에서 자신만의 글로 남기며 찾는 사람이 있다. 그때 "나는 생각하며 살고 있습니다"라는 것을 증명할 수 있어서다. 만약 1주일 중 하루를 글로 남기지 않았다면, 그 하루는 살지 않은 것과 같다고 볼 수 있다.

일상에서 지적인 읽기를 실천해 보자.

어떤 방법으로 남길 것인가? 세상에는 자신이 읽은 것을 기록으로 남길 다양한 방법이 있다. 작곡가는 짧은 선율, 작가는 메모, 화가는 스케치 등 자신만의 방식으로 순간 읽은 것을 놓치지 않고 세상에 남겨둔다. 그러니 꼭 글로 남길 필요는 없다. 그림이나 음악으로 남겨도 좋다. 내가 그 방법 중에서 글쓰기를 가장 추천하는 이유는, 우리가 읽고 지나간 모든 것은 언제나 빠르게 시야를 벗어나 사라질 준비를 하고 있기 때문이다. 가급적 가장 빠른 방법으로 완벽하게 남길 수 있는 방법을 선택하는 게 좋은데 글쓰기는 종이와 펜만 있으면, 혹은 스마트폰만 꺼내면 가능하기에 누구에게나 가장 적절한 방법으로 추천한다.

독서란 무엇인가? 이번에는 독서에 대해서 생각해 보자. 대문호 괴테는 죽는 날까지 "나는 독서를 모른다"라고 말했다. 세계적인 대문호가 독서가 무엇인지 모른다고 말했다는 것은 무엇을 의미할까? 답은 간단하다. 같은 책과 글도 모두에게 다르게 읽히기 때문이다. 우리가 일상에서 바라보는 지점과 그곳을 바라보며 느낀 감정은 오직 자신만의 것이며 누구도 그 공간에 함부로 침범할 수 없다. 모두 다른 것을 읽기 때문에 우리에게 각기 다른 가능성이 존재한다는 사실을 기억하자.

하나를 뚫어지게 바라본다는 것에 대하여. 한여름, 뜨거운 햇살
이 내리쬐는 공터에서 김치를 안주로 소주를 마시며, 2시간 내내
허탈할 표정으로 앉아 있던 한 사람을 바라본 적이 있다. 그의 표
정에는 불행이 가득했다. 처음 그를 발견했을 땐 어두운 느낌만
가득해서 피하고 싶었지만, 2시간을 바라보다 보니 말로 다 설명
할 수 없지만 약한 희망의 빛을 읽을 수 있었다. 그 마음을 표현
할 적당한 한 줄이 생각나지 않아 나도 그처럼 햇살 아래에 앉아
있었다. 그의 얼굴이 알코올에 붉게 변한 것처럼 내 얼굴도 여름
햇살에 익어버렸던 기억이 있다.

무언가를 읽는다는 것은 대상을 세상에 남기는 일이다. 그래
서 마땅한 한 줄이 나올 때까지 그 자리를 떠날 수 없다. 한 줄 혹
은 하나의 풍경을 제대로 이해할 때까지 움직이지 않고 지켜보겠
다는 그 마음이면, 어디서든 본질을 제대로 읽을 수 있다.

지적 읽기를 실천하는 일상의 습관을 들이자. 언제나 시작은 쉽
게 할 수 있어야 한다. 습관을 들이기 좋은 방식은 '댓글'을 써 보
는 것이다. 나는 각종 에스엔에스를 오가며 불특정 다수가 쓴 글
을 정독한다. 처음부터 차근차근 읽으며 글쓴 사람의 뜻을 마음
에 담으려고 애쓴다. 그러고는 붙여넣기 식의 의미 없는 댓글이

아닌 모든 것을 담아 표현할 한 줄을 생각해서 정성껏 쓴다. 또한 내가 쓴 글을 최소 3회 이상 정독하며 막히지 않고 자연스럽게 읽히는지 타인이 읽었을 때 상처가 되는 내용은 아닌지 철저하게 점검한다. 이런 과정을 반복하다 보면 자연스럽게 한 사람의 마음을 안아줄 수 있는 정도의 글을 쓸 수 있게 된다. 즉 사람의 마음을 읽을 수 있게 된다는 말이다.

모든 지적 읽기는 쓰기로 완성된다. 앞에서 언급한 것처럼 문해력을 높이는 방법은 '일상의 글쓰기'로 많은 부분을 이뤄낼 수 있다. 아무리 순간을 잡아내는 능력이 탁월해도, 글과 사물을 읽고 느낌을 짧게라도 남겨 놓지 않으면 느끼는 모든 것은 순간에 사라진다. 일상의 쓰기는 자신이 소중하게 겪은 일상이 떠나지 않게 꽉 붙잡아 주는 문해력의 도구다. 쓰지 않고 하루를 보내면 잠들기 전에 아무것도 생각나지 않는다. "오늘도 정신 없이 뭘 했는지도 모르고 살았구나"라는 후회를 자주 남기는 나날을 보내고 있다면, 지금이라도 짧게나마 정성껏 일상을 글로 남기는 연습을 해보자.

세상에는 불공평한 것이 참 많다. 돈이 없거나 환경이 받쳐 주지 않아서 할 수 없는 것이 많으니까. 그러나 읽기는 누구나 평등하게 자신의 가치를 누릴 수 있는, 스스로의 힘으로 인생을 바꿀 수 있는 최고의 기회다. 군이 그 좋은 기회를 버릴 이유는 없지 않은가? 지적인 내가 되고 싶다면, 자신의 하루를 읽고 남기자.

"지적 읽기는
인생 최고의 기회를 만들어준다."

6장. 다르게 읽어야 다른 걸 발견한다

지적 읽기의 3단계 과정

책을 읽고 있으면 어떤 사람들은 와서 이렇게 묻는다.

"읽기만 하면 뭐 하냐?"

실천하라는 말이다. 나는 그들에게 이렇게 묻고 싶다.

"실천만 하면 뭔가 이루어질까요?"

읽고 깨달은 것을 실천하는 행위는 매우 훌륭한 지적 활동이다. 하지만 그전에 매우 중요한 질문에 자신 있게 답할 수 있어야 한다.

"깨달았다고 느끼는 그것의 주인이 정말 당신인가?"

문제가 풀리지 않으면 근원적인 질문을 던져야 한다. 실천이 중요하다고 해서 실천하는 삶을 사는데 왜 나아지지 않을까?

내가 생각하는 가장 지적인 삶은,

— 일상에서 질문을 찾는다.

— 자연에서 답이 될 영감을 구한다.

— 책과 삶을 오가며 끝없는 수정 끝에 답을 얻는다.

— 깨달음에 대해 1시간 이상 강의할 줄 안다.

— 생각을 멈추지 않고 위의 4단계 과정을 반복하며 산다.

책에서 발견한 정보를 단순하게 실천하는 데 그치는 것은 자기 삶에 대한 예의가 아니다. 왜 남이 힘들게 생각해서 얻은 그의 지혜를 가지고 와서 '나의 것'이라고 주장하는가? 그건 마치 혈액형이 뭔지 확인도 하지 않고 아무 피나 수혈받는 것보다 잔인한 행동이다. 아무리 멋진 지식이라도 그 사람의 경험을 온전히 자신에게 적용할 수는 없다. 부작용을 최대한 줄이면서 생산적인 결과를 얻어갈, 지적인 읽기의 과정을 다음의 3단계에 걸쳐 실행해 보자.

읽고 메모하고 숙성하라. 메모를 하라는 조언은 여기저기에서 자주 들었을 것이다. 그러나 그냥 단순한 메모로는 충분하지 않다. 메모한 것을 질문으로 숙성하는 과정이 필요하다. 그간 내가 쓴 42권의 책은 모두 일상의 메모에서 나왔다. 다만 보통의 메모와 달리 책이 될 수 있었던 건 질문을 통해 몇 번씩 글을 숙성했다는 점이다. 글을 읽고 열정과 노력에 대한 메모를 했다면 이렇게 질문해 보자. "나는 지금 나의 일에 열의를 가지고 있는가?", "그저 목적 없이 행동하는가?"라는 질문으로 열정의 메시지를 숙성할 수 있으며 나중에는 "나는 일과 인간관계 사이의 균형을 잡고 있는가?"와 같은 메모한 내용과 전혀 다른 방향의 질문도 나오게 된다. 그러면 더 넓은 시야를 갖고 더 깊이 있는 글을 쓸 수 있게 된다.

꺼내고 수정하고 실천하라. 앞서 나는 아무리 작가의 조언이라도 쉽게 실천하지 말라고 했다. 그의 조언이 모든 사람에게 맞는 것은 아니다. 하지만 이제 당신이 적은 메모를 실천해도 된다. 이것은 스스로 만든 질문을 갖고 삶이라는 항아리 안에서 숙성해 낸 생각들이기 때문이다. 기록을 일상으로 꺼내어 실천할 방법을 생각해 보자. 이번에도 역시 질문이 먼저다. "어떻게 하면 내가 하는 일을 지금보다 더 효율적으로 수행할 수 있을까?", "내가 놓치고 있는 큰 기회가 있을까?"라는 방식으로 메모한 내용을 수정하며 실천할 수 있는 지점으로 다가가자.

실천하고 적용하고 보편화하라. 정말 중요한 단계다. 당신이 실천한 것은 결코 당신 혼자만을 위한 방법으로 남는 것이 아니기 때문이다. 자신이 만든 규칙을 실천한 후에 우리는, 나와 유사한 고민으로 괴로워하는 사람들이 쉽게 따라 할 수 있는 방법을 만들 수 있다. 이번에도 질문이 필요하다. 질문은 나의 콘텐츠를 다른 방향으로 변주할 때마다 항상 최고의 무기가 된다는 걸 명심하라. 이번에는 "작은 일이지만 큰 영향력을 발휘할 방법이 있을까?", "앞으로 6개월 안에 그 사람의 문제를 해결할 방법이 있을까?"라는 식의 질문으로 자신뿐 아니라 주변 사람을 도울 수 있는 콘텐츠를 만들어 보자.

세상에는 참 많은 독서법이 있다. 그 중에 속독법에 대한 내용을 보니 이런 작가의 제안이 있다. "안구를 빠르게 움직여 책을 사선으로 읽어라" 아니 이게 뭔가. 독서라는 건 첫 장에서 시작해 어떻게든 마지막 장을 만나는 것이 아닌가? 약속한 장소에 도착하기 위해 KTX를 타고 무작정 떠나는, 과정 없는 이동과 뭐가 다른가? 독서는 약속할 수 있는 것이 아니다. 또한 도착이 목적이 아니다. 한 줄, 한 단어의 가치를 알아야 비로소 하나의 문장을 가슴에 담을 수 있다. 한 줄을 읽어도 제대로 읽어야 한 권이 주는 깨달음이 무엇인지 알 수 있다. 한 줄 읽기보다 못한 한 권 읽기는 우리의 삶을 망칠 수도 있다.

사색과 지혜의 대가인 철학자들 중에서 다독을 권하는 경우는 많지 않다. "오늘도 읽어야지"라는 습관적인 독서나, "그래 이게 바로 내 생각이야"라는 공감의 독서를 할 바에는 그 시간에 딴 생각을 하는 게 낫다. 니체 역시 이렇게 말했다. 나는 독서에 대한

6장. 다르게 읽어야 다른 걸 발견한다

그의 생각을 이렇게 편집했다.

"눈앞에 있는 글만 읽는 독서로는 어떤 의미도 찾을 수 없다. 그것은 불꽃을 일으키기 위해서 누군가가 그어야만 하는 성냥개비와 같다. 스스로 불꽃을 일으킬 수 있어야 한다."

우리에게는 지적인 읽기가 필요하다. 읽고 스스로 실천할 규칙을 만들고, 나중에는 타인의 고민을 해결할 수 있는 수준의 콘텐츠를 만드는 과정에서 우리의 사고는 폭발적으로 성장한다. 그렇게 할 수 없는 독서는 타인의 수고가 필요한 수동적 사고만을 키운다. 생각의 성장을 이끌지 못하는 독서는 그저 시간을 낭비하는 행위일 뿐이다.

"성장하는 사람은 예리한 관찰자다."

문해력 공부

가짜 정보에 속지 않는 법

~~~~~~

우리는 몇 분만 지나도 채 읽을 수도 없는 수많은 정보가 쏟아지는 세상에 살고 있다. 결국 많은 정보를 가진 사람이 아니라 필요한 정보를 분별할 능력을 가진 사람이 최후의 승자가 된다. 넘쳐나는 수많은 정보 중에서 내가 반드시 알아야 할 목숨 같은 정보를 찾을 수 있는 방법은 무엇일까?

정치는 언제나 뜨거운 소재다. 정치적 성향에 따라 편이 극명하게 갈린다. 성향이 이끄는 시선이 아닌 공정한 눈으로 세상을 바라보려면 정보를 걸러내어 진짜를 찾는 노력을 들여야 한다. 근래 한 정치인의 에스엔에스 계정에서 아이를 빌미로 민폐를 끼치는 주부를 뜻하는 표현인 '맘충'이 들어간 글이 논란이 되었다. 흥분한 시민에게 관계자는 이렇게 설명했다.

"경찰수사 과정에서 '맘충'이라는 표현의 게시글을 쓴 범인은 잡지 못했지만, 중국에서 계정 해킹을 당해 작성된 것으로 확인되었음을 명백하게 밝힙니다."

관계자의 설명을 듣고 나면, 그 사람의 성향에 따라 이 기사에 대한 반응은 극명하게 갈릴 것이다.

"관계자의 말을 어떻게 믿을 수 있나? 조금 더 수사하자."

"그럼 그렇지, 그 점잖은 사람이 그런 표현을 할 리가 없지. 모든 건 음해다."

물론 100% 진실을 발견하는 건 쉽지 않다. 하지만 확률을 바꿀 수는 있다. 어떻게 하면 조금이라도 더 진실에 가까운 정보를 수집할 수 있을까?

책 소개글을 예로 들어보자. 요즘 각종 포털사이트에는 이런 식의 제목을 단 글이 자주 올라온다.

"이직을 고민하는 사람에게 도움이 되는 책 TOP5!"

"사랑에 실패한 사람을 위로해 줄 3권의 책!"

주제와 추천하는 책의 수량은 매번 다르지만 정보를 공급하는 방식은 늘 비슷하다. 이런 식의 글을 접하게 되면, 가장 먼저 공급자가 누군지 확인해야 진실을 파악할 수 있다.

누가 그 정보를 공급했는가? 정보를 공급한 사람은 기업일 수도, 개인일 수도 있다. 하지만 가장 중요한 것은 대상 그 자체가 아니라 자격이다. 다음의 질문으로 정보의 신뢰성을 확인하는 방법을 알아보자.

"이 정보를 공급할 자격이 있는가?"

이 질문에 대한 답을 찾기 위해 그가(혹은 그 기업이) 어떤 일을 하고 있으며 활동하는 분야가 무엇인지 확인해 보자.

"어떤 생각을 하며 사는 사람인가?"

이 질문의 답을 얻기 위해 그가 최근 올린 글을 최소 10개 이상, 내용을 다 읽을 시간이 없다면 제목만이라도 확인해 보는 게 좋다.

정보를 공급한 이유가 무엇인가? "이 정보는 그에게 무슨 이익을 주는가?" 이유를 생각해 보자. 이런 식으로 책을 추천하는 글을 올리는 사람 중 다수는 출판사 관계자들이거나 관련 홍보 업체일 가능성이 높다. 그들이 이런 글을 올리는 이유는 당연히 자신들이 홍보하는 책을 더 많이 팔기 위해서다. 만약 5권을 추천한다면 그 중 2, 3권은 자기 출판사에서 나온 책이다. 만약 2권 이상 같은 출판사 책이 추천 목록에 들어있다면 의심해 봐야 한다. 내용의 공정성을 유지하기 위해서는 같은 출판사 책을 여러 권 넣기가 어렵다. 그렇다고 책의 내용까지 부정할 수는 없다. 그래서 마지막 질문이 필요하다.

나는 이 정보를 어떻게 생각하는가? 정보를 만든 사람이 누군지

6장. 다르게 읽어야 다른 걸 발견한다

는 그리 중요하지 않다. 사람도 때로는 실수할 수 있기 때문이다. 언제나 중심을 바라보고 질문을 해야 한다. 그래서 이번 단계에서 필요한 것은, 바로 "이 정보는 사실인가?"라는 질문이다. 상대의 말은 사실일 수도 있지만 아닐 수도 있다. 최악의 상황은 그 말을 한 사람조차 자신의 말이 사실인지 아닌지 제대로 모를 경우다. 책이나 강연에서, 지인이 주장하는 의견을 그대로 말했을 경우도 있고, 스스로 믿고 싶은 대로 정보를 왜곡한 경우도 있다. 그래서 꼭 이런 추가 질문으로 정보의 신뢰성을 확인하는 과정이 필요하다.

"이 정보의 작성자는 나와 생각이 같은가?"

"어떤 부분에서 나와 생각이 다른가? 혹은 같은가?"

정보의 신뢰성을 판단하기 위해 그 기준을 자신의 생각에 두고 진행하면 편하다. 자신의 생각과 같은 부분과 다른 부분을 구분하고 그 부분에 대한 진실 여부를 다시 확인하는 과정에서 우리는 조금 더 세밀하게 그 정보를 들여다볼 수 있다.

'1+1=2'라는 이야기를 진지하게 혹은 다른 방식으로 이야기하는 사람은 많지 않다. 이미 누구나 잘 아는 이야기라서다. 반대로 새로운 전염병이 발생할 때 온갖 이야기가 많이 나오는 이유는, 그게 잘 모르는 것에 대한 이야기이기 때문이다. 사람들은 잘 아는 것에 대한 이야기는 하지 않고, 언제나 잘 모르는 것에 대해서만 상상의 나래를 활짝 펼친다. 그러므로 우리는 언제나 우리를 자극하고 유혹하는 이야기에 대해서 의심할 필요가 있다. 진짜 정보는 쌓기만 해서는 발견할 수 없다. 배제를 통해서 하나만 남길 수 있어야 진짜를 볼 수 있다. 위에 제시한 3단계 과정을 통해서 가짜 정보를 추려내고, 자신에게 필요한 정보만 남겨서 사용하자.

> "유혹하고 자극하는 이야기를
> 경계하라."

본질을 쉽게 파악하는
소크라테스 독서법

"어떤 책을 선택해서 어떻게 읽어야 좋나요?"

많은 사람이 자주 내게 묻는다. 맥락이 없어서 답하기 너무나 힘든 질문이기도 하다. 그래서 그런 질문을 받을 때마다 나는 그들의 얼굴을 바라본다. 책을 왜 읽는지, 무엇을 원하는지, 그 사람 얼굴에 다 쓰여 있기 때문이다. 80% 이상은 당장을 극복하려는 지혜나 빠르게 부자가 될 수 있는 길을 원한다. 그래서 1년에 365권 읽는 걸 과업으로 삼는 사람이 늘고, 좋다는 고전을 찾아 서로 '내가 읽고 있는 책이 더 어려운 거야!'라고 경쟁하듯 살고 있는 게 아닐까 생각한다.

사는 것도 경쟁인데, 독서까지 경쟁을 하듯 읽어야 할까?

그렇다고 사람들의 강렬한 욕구를 묵살할 수는 없는 노릇이다. 그래서 나는 상대의 마음에 담긴 진심의 농도를 구분해서 다르게 조언한다. 이제 세심한 마음으로 아래의 조언을 읽어 보라.

"감정 없이 스쳐 지나는 사람에게는 그들이 원하는 부와 명예를 가질 수 있다고 강조하는 책을 추천하며 다독을 말하지만, 사랑하는 사람에게는 1년 1권 독서와 깊은 사색을 말할 수밖에 없다."

많은 사람들이 1달에 1권, 1주에 1권, 1일에 1권 등 저마다 분명한 일정을 짜서 어떻게든 책을 읽으려고 한다. 그런데 공통적으로, 왜 읽어야 하고, 무슨 책을 읽어야 하고, 그걸 어떻게 읽어야 하는가에 대한 고민은 별로 없다. 독서는 1권을 다 읽고 즉석에서 또 읽을 것을 선택하거나 누군가의 추천을 받아 읽어 나가는 이어달리기가 아니다. 독서는 반드시 체계를 갖춰야 한다. 독서를 하면서도 만들어 갈 수 있지만, 가급적 체계는 읽기 전에 점검하길 바란다.

공자가 제자를 통해 남긴 수많은 명언은 〈논어〉에 모두 담겨 있다. 하지만 소크라테스가 남긴 "너 자신을 알라"의 깊은 의미를 알지 못하는 사람이 그가 한 말과 제자 플라톤의 사상이 나온 배경을 제대로 알 수 없는 것처럼, 공자의 말 중에도 오해받곤 하는 문장이 있다.

"자신을 사랑하는 사람만이 도덕을 실천할 수 있다."

〈논어〉는 모든 변화의 힘이 자신에게서 나온다는 이야기를 변주해 엮은 책이다. 이 문장을 제대로 이해하면 더 쉽고 깊게 논어와 공자 인생 전체를 읽을 수 있다. 생각의 계통을 잡을 수 있다는 말이다. 공자는 "정의가 아닌 도덕이 소중하며, 그 소중한 가치는 자신을 사랑하는 일상에서 시작한다"라고 말하고 싶었던 거다. 이 문장을 스스로 깨달아야 그가 남긴 수많은 말을 자신의 일과 삶에 맞게 연결할 수 있다. 그걸 못하면 그저 글자만 읽는 삶을 반복하게 될 뿐이다.

본질을 제대로 알지 못한 채 진격하려고 하지 마라. 모든 사물과 현상, 역사와 창조에는 시초가 있다. 시작의 마음과 방향을 제대로 알면 굳이 후의 변화와 결과에 대해서는 따로 배울 필요가 없다. 시작이 모든 것을 말해준다.

이를 잘 알고 있던 소크라테스는 제자들에게 언제나 모든 상황에서 스스로 깨닫는 것을 강조했다. 이는 대단히 중요한 지점이다. 강요하거나 가르치려 드는 것이 아니라 자각하게 하는 것, 이것이 바로 철학의 힘이자, 문해력이 필요한 이유이다. 즉 문해력의 본질은 나와 세상의 문제를 스스로 깨닫는 것이다. 본질을 발견해 내는 질문으로 무장하라는 소크라테스는 "많은 책을 읽으려하지 말고 1권의 책을 자주 읽으라"라는 조언을 한다. 나아가 그런 삶을 살게 하는 질문을 던지게 한다.

"이 문장은 무엇을 의미하는가?"

"내가 이해한 의미는 내 일상에서 어떻게 적용 가능한가?"

"더 나은 일상을 위해 무엇을 공부해야 하는가?"

소크라테스는 우리가 책을 읽어야 하는 이유를, "남이 고생하여 얻은 지식을 아주 쉽게 내 것으로 만들 수 있고, 그것으로 자기 발전을 이룰 수 있기 때문이다"라고 말했다. 그의 말을 섬세하게 접근해서 해석해 보자. 의미에 대한 해석이 필요할 정도로 중요한 말이다. 세상에는 그의 조언처럼 '책을 많이 읽어서' 자기 발전을 이루는 사람이 있고, '책을 자주 읽어서' 멈추지 않고 성장하는 사람이 있다. 소크라테스의 말을 있는 그대로 받아들인 사람의 성장은 어느 순간 멈출 수밖에 없다. 서로 다른 생각을 하는 100명의 작가가 쓴 책 100권을 읽고 100개의 생각을 나의 것으로 만드는 행위는 한계가 있다. 각기 다른 생각을 다 수렴하기도 어렵고, '생각'이라고 부를 수 있을 정도로 수준 높은 책을 매번 발견하는 것도 쉬운 일이 아니다.

그러니 책 하나도 다르게 보는 시선을 가지는 게 무엇보다 중요하다. 그렇다면 그는 작가의 한마디에서 하나의 세상을 펼쳐 그 안에 존재하는 수많은 생명을 짐작하고 새로운 영역을 구상할 줄 알게 될 것이다.

몰입도를 극대화하는
괴테의 독서법

책을 읽을 때 괴테는 언제나 혼자였다. '절대'라고 말할 정도로 함께 모여 읽지 않았으며, 늘 딱딱한 의자에 앉거나 불편한 자세로 읽되, 누구보다 자유롭게 책에 몰입했다. 죽는 날까지 왕성한 창조력을 유지하며 활력 넘치는 삶을 살았던 괴테에게 독서는 성장을 돕는 최고의 활동이었다. 같은 시간을 투자해도 생산성을 몇 배 이상으로 높이는 괴테의 궁극의 독서법은 4단계로 나뉜다.

서문을 외운다. 무엇보다 효율을 중요하게 생각한 그였으나, 모든 책의 서문을 외운 건 아니다. 기준은 따로 있었다. 자신에게 위대한 가치를 줄 것 같다고 생각한 책은 아무리 분량이 길어도 어김없이 서문을 외웠다. 물론 괴테의 이 방법을 그대로 따라 할 필요는 없다. 지금에 맞게 방법을 변형하면, 책의 도입부 정도를 정성을 다해 열 번 정도 반복해서 읽으면 충분하다. 그보다 중요한 것은 괴테가 서문을 외운 이유다. 그는 작가의 정신 세계를 제대로 알고자 했다.

독서를, 읽기를 위한 읽기로 생각하면 곤란하다. 도입부는 작가의 정신 세계로 연결된 통로다. 통로에서 숨은 길을 찾아내 작가의 세계에 접속하겠다는 강한 의지로 읽어내야 한다. 제대로된 통로로 들어가지 못하면 100년을 읽어도 제대로 된 출구로 나올 수 없다.

사소한 부분에서 시작한다. 서문을 충분히 이해하고 출구를 찾았다면, 다음에는 내용 중 몰입하고 싶은 부분을 선택할 차례다. 책 속의 인물로 보면, 한 번에 모든 인물에 이입할 수는 없으므로 욕심내지 말자. 책에 등장한 인물 중 1명을 자유롭게 선택해서, 괴테가 그랬던 것처럼 "내가 그를 손가락으로 살아 움직이게 조종한다"라는 기분으로 생생하게 읽어가는 과정이 중요하다. 상상속에서 우리는 무엇이든 될 수 있다. 그 기분과 상황을 만끽하자. 이를 통해 우리는 그 한 사람에 대한 더 깊은 이해를 바탕으로 작품과 이야기에서 나오는 아이디어를 얻는 최소한의 힘을 갖게된다.

흐름을 파악하는 독서로 진화하라. 앞서 한 사람을 지목해 그의 삶을 사는 것처럼 책을 읽으라고 한 이유는, 그걸로 독서를 끝내는 게 아니라, 그렇게 독서를 시작해서 책에 나온 모든 인물의 생각과 말을 균형 있게 익히기 위함이다. 책에 등장하는 모든 인물을 중심에 두고 제각각 읽어 보자. 10명이 나온다면 열 번을 제각각 다른 사람의 시선으로 읽어야 한다. 이때 중요한 것은 일종의 리듬을 찾아야 한다는 것이다. 괴테는 책에 나온 모든 대사, 인상적인 문장을 발음하며 마치 그 사람이 된 것처럼 행동하며 책을 읽었다. 책에 등장하는 모든 사람의 생각과 말버릇까지 익혔으며, 세세한 감정의 흐름까지 이해하려고 노력했다. 이런 부분까지도 머리에 넣어두고 읽자.

몰입 독서로 인물의 중심에 다가서라. 여기까지 진행했다면, 중심을 어디에 두느냐에 따라 같은 내용을 다룬 책이라도 완전히 다르게 읽힌다는 사실을 알게 되었을 것이다. 그건 책 내용에 온전히 몰입했다는 증거다. 이제 마무리는 주인공의 삶에 감정 이입해서, 안에서 밖을 내다보는 것이다. 보통의 독서는 읽는 사람의 시선을 통해 인물을 바라보게 된다. 하지만 그런 독서는 무언가를 얻기 힘들고 얻은 것도 쉽게 사라진다. 관찰 대상이 내가 아닌 이야기 속 가상의 인물이기 때문이다. 주인공의 시선으로 나의 삶을 바라보아야 비로소 우리는 자신에 대한 통찰을 할 수 있다. 세상의 모든 위대한 창조創造는 시선이 안에서 밖을 바라볼 때 이루어진다.

괴테는 어릴 때부터 이런 방식의 독서로 몰입도를 높여 독서 효과를 극대화할 수 있었다. 이를테면 〈다윗과 골리앗〉의 이야기를 읽은 어린 괴테에게는, 거만한 거인 골리앗에 도전하는 다윗의 고결한 연설이 밤낮없이 그의 의식을 따라다녔다. 입에서 대사가 절로 나왔고, 마치 다윗이 된 것처럼 생각하고 말할 수 있게 되었다. 이런 독서법은 모든 인물의 마음을 이해하고 받아들인 상태로 주인공의 삶에 접속할 수 있다는 장점이 있다. 괴테는 항상 이런 방법으로 주인공의 삶과 스스로를 연결했고, 다른 인물들은 마치 호위 무사처럼 그저 주변만 따라다니게 내버려두었다. 장소는 어디든 좋다. 괴테는 다락방, 외양간, 정원 구석에서도 괜찮다고 말했다. 몸의 위치가 아니라 마음의 위치가 중요하다. 독서는 몸이 아니라 마음이 움직여 뻗어 나가는 지적 행위이기 때문이다.

농밀하게 읽기를 위한
시선의 힘

~~~~~~

"언젠가 꼭 해보고 싶습니다."

이런 말은, 실은 하지 않겠다는 뜻이다. 글쓰기, 음악, 다이어 트, 금연, 공부, 기부 등 분야를 가리지 않고 뭐든 지금 하지 않는 다는 것은, 영원히 하지 않겠다는 강력한 선언과도 같다. 내가 그 렇게 확신하는 이유는 간단하다. 지금 해야 할 정도로 소중하지 않기 때문에, 보이지 않는 뒤로 미룬 것이다.

이들의 공통점은 뭘 제대로 시작하지 못한다는 데 있다. 왜 그 럴까? 앞에 제시한 이유가 답이다. 지금 당장 해야 할 정도로 급 하거나 중요하다고 생각하지 않기 때문이다. 반면 같은 일이라도 중요하다고 생각해 곧바로 실행하는 사람도 있다. 이유가 뭘까? 나는 그들이 유독 부지런해서라거나 실행력이 있어서라고 생각 하지 않는다. 그건 껍데기만 보며 판단하는 매우 1차원적인 결론이다. 앞서도 언급했지만, 문제는 문해력이다.

뭐든 당장 실천하는 것처럼 보이는 사람들은 그 일의 중요성을 빠르게 간파하는 능력이 뛰어나다. 그 일의 가치가 느껴지는 순간 모든 능력을 동원해 그 일을 당장 해내야만 하는 이유를 알아낸다. 그래서 당장 할 수밖에 없는 일로 만든다. 그들은 2가지 엄청난 능력을 갖고 있다. '일의 가치를 알아보는 능력'과 '그것을 자신에게 당장 시작하라고 호소하는 능력'이다. 이런 능력은 대체 어떻게 갖출 수 있을까?

주말 오후의 백화점 지하 주차장, 축구장만 한 면적이 무려 다섯 개 층이나 되지만, 극장과 마트가 주차장을 같이 사용하고 있어서 언제나 만차 상태다. 오늘도 역시 많은 사람이 자신이 주차한 차를 찾기 위해 이 넓은 공간을 헤매고 있다. 방금 내 옆을 지나간 사람들도 마찬가지였다. 내가 그들의 대화에서 귀 기울인 부분은 단 두 마디다. "내가 차를 어디에 주차했는지 도저히 기억이 나질 않네? 혹시 너는 알겠니? 거봐, 그러니까 내가 주차할 땐 꼭 세운 장소를 사진으로 찍어두는 게 좋다고 했잖아."

주차장에서 흔히 있는 대화다. 만약 당신이 이런 내용의 글을 읽었다고 생각해 보자. 무엇이 느껴지는가? 보이는 그대로 글을 읽는 건 누구나 할 수 있는 행위다. 우리는 다양한 상황에 맞게 나만의 방식으로 무언가를 잡아내야 한다. 그래야 가치를 찾아내어 자신의 일상을 움직일 힘을 발휘할 수 있다.

먼저, 상황을 그대로 읽자. 사람이 붐비는 백화점 지하 주차장에서 주차한 차를 찾아 방황하는 것은 여간 성가신 일이 아니다. 추운 겨울이거나 뜨거운 여름이라면 상황은 더욱 좋지 않다. 게다가 같이 간 사람 입장에서는 "주차할 때 꼭 사진을 찍어 둬!"라는 자신의 말을 듣지 않아 이런 상황이 반복되니 더 짜증이 날 것이다.

시선을 바꿔서 읽자. 이번에는 운전자의 시선으로 상황을 바라보자. 사실 이 상황에서 짜증이 나는 건 누구나 마찬가지다. 게다가 차를 찾기 위해 집중하고 있는데, 같이 간 사람이 옆에서 "거봐, 그러니까 내가 주차할 때 사진을 꼭 찍으라고 했잖아"라고 훈수를 하면 기분이 어떨까? 아마 속내를 감추지 못하고 급기야 말다툼이 시작될 가능성이 높다. 찾아야 할 차는 못 찾은 채, 애꿎은 과거의 기억만 끄집어내어 서로를 향해 원망만 할 것이다.

상황에 나를 대입해서 읽자. 우리가 상황을 미리 점쳐 보고도 모든 실제 상황에서 어리석은 선택을 하는 이유는 자신이 그 상황의 주인공이기 때문이다. 객관적이며 이성적인 선택을 할 수 있다면, 상황마다 최선의 방법을 찾아내어 자신에게 유리하게 적용할 것이다. 자신이 그 상황의 주인공이라고 생각하며 텍스트를 읽어 보자. 그나마 텍스트를 읽을 때가 가장 객관적인 나의 시선을 시험할 좋은 순간이다. 상황을 깊게 인식할 때까지 반복해서 읽는 게 좋다.

가장 좋은 상황을 상상하라. 운전자는 주차할 땐 꼭 사진을 찍어두라는 조언을 수도 없이 들었을 것이다. 하지만 사람은 쉽게 움직이지 않는다. 앞으로 고생을 하지 않으려면 운전자에게 사진을 찍으라고 말하기보다는, 이렇게 말해 그의 생각을 바꿔 보는 게 좋겠다. "아, 내가 사진을 찍어둔다는 걸 깜빡했네, 다음부터는 내가 사진을 찍어둬야겠어." 언제나 내가 쓴 글과 생각을 통해, 같은 고민을 하는 사람에게 도움을 주겠다는 생각으로 상황에 감정이입을 하면 가장 좋은 답이 나온다.

꼭 맞는 분야를 구상하라. 텍스트를 농밀하게 읽어서 발견한 가치를, 자신과 타인에게 '당장 실천할 정도로 귀한 것'으로 전할 수 있으려면 그것을 글로도 쓸 수 있어야 한다. 이때 상대가 원하는 것을 내가 먼저 보여주겠다는 태도로 접근하면 이 상황을 자기계발 메시지로 편집할 수 있고, 살기 좋은 현실을 만날 수 있다는 태도로 접근하면 말하기에 관한 메시지로 편집할 수 있다. 또한 이 내용을 그대로 야단만 치는 부모와 늘 실수하며 혼나는 아이의 관계에 연결하면 자녀교육 메시지로 편집할 수 있다. 하나의 상황에서 다양한 분야로 연결할 수 있는 접점을 발견할 수 있다면 그 콘텐츠를 접하는 수많은 사람에게 가장 값진 가치를 전달해 그들을 당장 움직이게 만들 수 있다.

이렇게 일상에서 쉽게 접할 수 있는 상황을 5개의 과정을 통해 농밀하게 읽는 연습을 반복하면, 모든 상황에서 나름의 가치를 발견할 수 있게 된다.

살아서 무언가를 본다는 것 자체가 모두 독서다. 그리고 거기에서 발견한 가치를 당장 실천할 수 있다면 그 사람은 어디에서 무엇을 하든 최고의 창조력을 보여줄 것이다. 결국 최고의 문해력이 최고의 창조력이다.

《 7장 》

범접할 수 없는 격차는
어떻게 만들어지는가

: 문해력에서 찾은 생존 키워드의 실체

해석의 깊이를 바꾸는 질문법

문해력은 단순히 일상의 사소한 곳에만 영향을 미치는 지적 수단이 아니다. 문화와 예술, 기업의 경영과 전략, 메가트렌드의 형성에도 지대한 영향을 끼친다. 문제를 해석하는 수준을 바꾸는 질문으로 문해력을 한층 키울 수 있다. 다음에 소개하는 세상의 흐름을 바꾼 두 사람의 사례를 살펴보자.

초코파이는 누구에게나 친숙한 기억을 가진 간식이다. 초코파이를 분리하면 두 개의 원형 비스킷과 마시멜로로 구분할 수 있다. 구성은 단순하다. 그 두 재료를 하나로 붙인 후, 겉면에 초콜릿을 씌운 것이 바로 우리가 먹는 초코파이다. 그런데 비슷한 과자가 하나 더 있다. 초코파이보다 무려 60여 년 전인, 1917년 미국 남부 테네시주의 채타누가 베이커리Chatanooga Bakeries에서 팔던 문파이Moon Pie가 바로 그것이다. 두 과자 사이에는 다른 점이 하나 있다. 어쩌면 이 차이가 바로 초코파이가 전 세계에서 선풍적인 인기를 얻게 된 포인트라고 볼 수도 있다.

1973년 당시 한국은 가난했으며 아이들이나 어른들 모두 즐길 만한 간식이 없었다. 그래서 당시 동양제과(현재 오리온)의 개발 팀장은 매일 이런 사색에 잠겼다. "마땅히 즐길 간식이 없는 우리 국민들에게 최대한 값싸게 즐길 수 있는 과자를 만들어 주고 싶다." 그러다 그는 미국 출장에서 들른 조지아주의 한 호텔 카페에서 초콜릿을 입힌 과자를 먹어 보고 놀랐다. "세상에 이렇게 멋진 맛이 있다니!" 그게 바로 앞서 소개한 문파이와 유사한 과자였다. 그러나 그는 거기에 만족하지 않았다. 이 과자를 더 맛있고 저렴하게 만들어서 국내에 소개하고 싶어졌다. 당시 동양제과는 자금 여력이 좋지 않아 신제품 연구개발에 오랫동안 투자하지 못하는 실정이었지만, 무려 1년여산 제품 개발에 심혈을 기울여 원하는 형태의 초코파이를 만들어 냈다. 그가 만든 초코파이는 문파이처럼 딱딱한 비스킷 형태가 아닌, 촉촉한 초콜릿 빵에 가까웠다. 기존 비스킷 반죽을 썼다면 개발 없이 바로 제품 생산에 들어갈 수 있었겠지만, 그는 부드러운 빵 형태를 이상적이라 판단했다. 이에 따라 마시멜로가 촉촉한 파이의 접착제 역할을 하면서 형태 안에서 균형을 잡아야 했기에 맛의 균형을 잡아주도록 계속 실험할 수밖에 없었다. 실패를 거듭하면서 그는 부드러운 비스킷 반죽을 만들어 낼 수 있었고, 초콜릿을 입힌 후 마시멜로로 촉촉함을 배가시키는 48시간 숙성법까지 찾았다. 비슷한 과자가 이미 있었지만 그는 전혀 다른 것을 그렸고, 마침내 그것을 세상에 내놓을 수 있었다.

세상에 우연은 없다. 질문을 가슴에 품고 끝없이 방법을 찾는 자만이 우연이라는 필연적 결과를 손에 쥘 수 있다. 그것이 바로 볼 줄 아는 자와 볼 줄 모르는 자의 격차다.

두 번째 이야기는 아이가 있는 가정에서 시작한다. 태어나서 처음 진공청소기를 작동하는 부모의 모습을 목격한 아이들은 이런 질문을 할 수밖에 없다.

"그게 뭐 하는 물건이야?"

보통 이렇게 설명한다.

"응, 이건 바닥을 깨끗하게 청소하는 기계야."

부모 입장에서는 다른 집안일에 힘든 와중에도 웃으며 아이 질문에 친절하게 답했으니 "나는 부모의 의무를 완벽하게 소화했다"라고 생각하게 된다. 그러나 아이는 그 대답으로 인해서 오히려 더욱 머릿속이 혼란스러워졌을 뿐이다. "저 기계가 바닥을 깨끗하게 청소한다고?", "그런데 왜 이렇게 시끄럽지?", "대체 어떤 방법으로 바닥에 있는 먼지가 사라지는 거야?" 부모의 답은 이런 수많은 의문 중에 어떤 답도 되지 못했다. 부모가 만약 아이의 질문에 제대로 답을 해줄 수 있다면, 아이는 그 답을 갖고 더 멋진 창조물을 만들어 낼 수 있을 것이다. 이건 어른도 마찬가지다. 경쟁을 허락하지 않는 범접할 수 없는 초격차를 내기 위해서 우리는, 1973년 초코파이를 처음 구상하고 현실화에 성공하게 만든 그 질문 정신을 일상에 장착해야 한다.

진공청소기를 주제로 그 질문 정신을 하나하나 파헤쳐 보자. 사실 진공청소기에 달린 먼지봉투가 사라진 것은 그리 오래된 이야기가 아니다. 이제는 너무나 당연하지만 먼지봉투가 필요 없는 무선 진공청소기는 제임스 다이슨Sir James Dyson에 의해서 만들어졌다. 그가 자신의 아이디어를 세상에 내놓기 전에는 모두 청소기에 먼지봉투를 달아 사용할 수밖에 없었다. 무려 100년 동안이나 그것을 달고 다니면서도 우리는 아무런 질문도 하지 못했다.

물론 봉투 제거가 쉬운 일은 아니었다. 청소기 안으로 빨려 들어가는 공기로부터 먼지를 분리해 내야 한다는 문제가 있었다. 이미 업계 관계자라면 그걸 가장 현실적으로 분리할 방법을 찾아내는 사람이 시장을 장악할 수 있다는 사실을 알고 있었지만, 아무도 그 일을 해내지는 못했다. 다이슨도 쉽게 문제를 해결한 것은 아니었다. 공기로부터 먼지를 분리해 내는 장치를 만들기 위해 5년을 꼬박 투자만 했다. 언제나 우리는 아이디어를 현실로 만들기 위해 필요한 마지막 고지에서, 그 사람의 역량이 어느 정도인지 가늠할 수 있게 된다. 다이슨 역시 세월을 견디며 현실을 해석하는 수준을 높여가고자 했다.

현실을 제대로 인식하게 만드는 질문 던지기. 현실을 해석하는 수준을 바꾸기 위해서는 먼저 현실을 제대로 인식해야 하며, 이때 가장 좋은 방법은 질문으로 다가가는 것이다. 다이슨은 먼지봉투가 달린 진공청소기를 사용하면서 하루는 이런 질문을 던졌다. "이 청소기는 구매한 지 얼마 되지도 않았는데, 벌써 흡입력이 약해지는 이유는 뭘까?" 간단하면서 사소한 질문이라고 생각할 수도 있지만, 위대한 변화는 언제나 작은 곳에서 시작하며 그것들은 대개 일상 곳곳에 존재한다. 현실에서 가장 자주 반복해서 느끼는 문제점을 생각하자. 답은 언제나 문제 안에 존재한다.

현실의 이유를 발견하는 질문으로 접근하기. 현실을 제대로 인식했다면 이제는 문제의 이유를 찾아가는 질문을 던지며 생각의 깊이를 더한다. 다이슨의 질문은 이것이었다. "오래된 제품도 아닌새 청소기의 흡입구가 작동하자마자 먼지로 막히는 이유가 뭘까?" 이 질문으로 다이슨은 흡입력이 약해지는 이유가, 흡입구에 먼지가 쌓여 막히는 것이라는 사실을 알게 되었고, 100년간 대기업 제품에 속았던 것에 격분했다. 출력기를 만드는 기업이 기계가 아닌 안에 들어가는 잉크로 막대한 수입을 내듯, 먼지봉투를 꾸준히 팔기 위해 더 나은 성능의 청소기를 굳이 개발하려고 하

7장. 범접할 수 없는 격차는 어떻게 만들어지는가

지 않는 대기업의 의도를 간파했기 때문이다.

철학을 추출하는 질문으로 문제 해결하기. 현실을 인식해서 그 이유를 제대로 알았다면 이번에는 상황을 나아지게 하려는 노력을 멈추지 않게 할 철학을 추출하는 과정이 필요하다. 다이슨은 그때 자신의 삶을 이끌 이런 철학을 세우게 되었다. "좌절은 나의 발명 정신을 이끄는 원동력이다." 문제가 있다고 판단하면 완벽하게 해결할 때까지 멈추지 않고 늘 새로운 마음으로 도전하겠다는 그의 정신은 실천으로 이어졌다. 1979년부터 5년간 무려 5,126개의 샘플을 제작했고, 그 과정에서 실패와 좌절을 반복하며 마침내 원심분리기를 장착한 먼지봉투 없는 진공청소기를 성공적으로 개발해낸 것이다.

제임스 다이슨은 1993년 청소기 회사 다이슨을 창립해 30여 년 동안 전 세계 청소기 시장을 장악하고 있다. 다이슨 제품이 경쟁사의 비슷한 제품보다 비싸거나, 서비스가 좋지 않다는 평도 있다. 하지만 그런 말을 할 수 있는 건 우리 앞에 다이슨 제품이 놓여 있어서다. 창조는 비난과 찬사를 동시에 낳는다. 그러나 비난마저도 아름다운 이유는 그것이 창조한 자만 볼 수 있는 특권이기 때문이다. 아무것도 만들지 못한 사람에게 돌아가는 것은 "나는 왜 무엇도 시도하지 못한 걸까?"라는 고통스러운 자괴감뿐이다.

많은 업계 관계자들이 초격차 제품을 창조할 가능성을 믿지만 아무나 그걸 성취하지는 못한다. 현실을 해석하는 수준을 향상시킬 질문법이 이 가능성을 높여줄 것이다. 특별한 극소수를 제외하면, 우리는 누구나 거의 비슷한 선상에서 경쟁을 시작한다. 그러나 시간이 흐르면 그 과정과 결과에서 분명한 차이가 생긴다. '초코파이'나 '먼지봉투 없는 진공청소기'를 만들어낸 과정도 절대 쉽지 않았다. 지금 당신을 나아가지 못하게 하고 괴롭게 하는 문제가 있다면, 문해력 천재들이 사용하는 이 질문법을 바로 적용해 보라. 세상에 풀리지 않는 문제는 없다. 상황을 바꿀 다른 질문을 던지지 못했을 뿐이다.

'나의 본성'을 일군
위대한 정신의 탄생

"내 사전에 불가능이란 없다 Impossible n'est pas francais"라는 나폴레옹의 말은 괜히 나온 표현이 아니었다. 하지만 누구보다 자존심이 강했던 나폴레옹도 1808년, 괴테를 만난 자리에서 이렇게 말했다.

"여기도 사람이 있군."

당시 나폴레옹은 최고의 영웅이며 가장 높은 곳에 오른 사람이었다. 그런 그가 괴테를 자신에 버금가는 인물로 인정한 것이다. 실제로 그는 전쟁터에서 《젊은 베르테르의 슬픔》을 반복해서 읽을 정도로 괴테를 존경하는 마음을 갖고 있었다.

하지만 내게 문제가 하나 남아 있었다. 여전히 "여기도 사람이 있군"이라는 말의 정확한 의미를 알 수 없었다. 그렇게 괴테와 나폴레옹의 생에 관해 사색하며 살았다. 10년도 더 지난 어느 날 문득, 나는 어렴풋이 그 의미를 짐작할 수 있게 되었다. "여기도 사람이 있군"이라는 말은 마치 "여기도 자연이 있군"이라는 말과 같았다. 자연은 하나의 거대한 세계다. 나폴레옹은 괴테에게서 무한한 자연의 풍모風貌를 본 것이었다.

괴테는 평생 수많은 일을 했다. 영역을 넓힌다는 표현이 무색할 정도로 철학, 자연 과학, 문학, 정치, 광학, 색채학 등에서 성과를 냈고 극단을 운영하기도 했다. 그 모든 괴테의 성과는 자연에서 나온 영감의 결과였다. 그래서 그와 자연의 관계를 표현하려면 다른 이의 그것과는 조금 달라야 한다. '괴테와 자연'이 아니라, '괴테의 자연'이라고 표현해야 적절하다. 그는 자연에 속한 생명이 아니라, 자연을 가슴에 품고 살았던 위대한 인간이었다. 후세의 평가는 엇갈리지만 그는 생전에 뉴턴의 광학 이론을 매우 강력하게 비판하며 그에 맞서 자신의 연구 결과로〈색채론Theory of Colours〉이라는 이론을 발표했다. 이는 단순히 문학가의 시선으로 바라본 자연이 아닌, 자연 과학자의 시선으로 바라본 근대 과학의 맹점을 지적한 것이었다. 그는 파우스트의 정신처럼, 새로운 자연 과학의 세계를 정립하고자 끊임없이 노력했다. 그는 "자연은 공허 그 자체이다"라고 말했지만, "내게 자연은 가장 중요한 존재가 되었다"라고도 말하며 자연을 가슴에 품은 사람과 자연 속에서 사는 사람의 차이에 대해 설명했다. 이를 그의 생각을 빌려 자세하게 설명하면 이렇다.

"모든 존재는 자연 안에서 꾸밀 수 있고, 심지어 바보들조차 자

7장. 범접할 수 없는 격차는 어떻게 만들어지는가

연을 심판할 수 있다. 그리고 수많은 사람들이 자연을 스쳐 가 버려 아무것도 보지 못하기도 한다. 그럼에도 자연은 선량하다. 그래서 나는 자연을 찬양한다. 또한 자연은 현명하고 조용하다. 사람들은 자연으로부터 어떠한 설명도 얻지 못하며 어떠한 선물도 받지 못한다."

자연은 자신을 볼 줄 아는 사람에게만 특별한 내면을 허락한다. 괴테는 자신의 쓴 〈하나〉라는 시에서 자연의 위대함과 거기에 다가가려는 노력에 대해 이렇게 표현한다.

모든 것이 제멋대로 구르는 것처럼 보이지만
사실은 하나로 연결되어 있다네.
우주의 힘이 황금종을 만들어
이들을 온통 떠안고 있다.
하늘의 향기 은은히 퍼서 나가니
지구가 그 품에 안긴다.
그렇게 모든 것이,
향기조차 조화롭게 시공을 채우는구나.
휘몰아치는 생명의 회오리 속에서
나도 파도도 다 함께 춤춘다.
생명에는 삶과 죽음이 있어
영원의 바다는 쉼 없이 출렁이는구나.

변동하고, 변화하고, "진동하는"
저 힘이 내 생명의 원천으로
오늘도 나는 먼동이 밝아 오는 아침에
거룩한 생명의 옷을 짠다.

자연은 인간에게 스스로 성장할 수 있게 만들 모든 도구와 영
감을 준다. 이를 알아차린 괴테는 두 팔을 벌려 자연을 가슴에 품
어, 자기 안에서 풍성하게 자라게 했다. 평생 자신에게 사색이라
는 물을 주고 실천이라는 햇살을 통해서 자신의 의식 수준을 높
여 나갔다. 그가 남긴 말이 이를 증명한다. 하나는 "꽃을 주는 것
은 자연이고, 그 꽃을 엮어 화환을 만드는 것은 예술이다"라는 말
이고, 다른 하나는 "말은 충분히 오고 갔소, 이제 행동으로 보여
주시오"라는 말이다. 그렇게 독일과 독일 문학의 수준을 몇 단계
나 끌어올렸다. 그래서 그의 삶은 '괴테와 자연'이 아닌, '괴테의
자연'이라고 부를 정도의 가치가 있는 것이다.

7장. 범접할 수 없는 격차는 어떻게 만들어지는가

지혜를 체계적으로 골라내는
구상의 기술

~~~~~~

'구상력構想力'이란 전체의 짜임이나 순서 따위에 대하여 생각을 정리할 수 있는 능력을 말한다. 주변을 보면 같은 상황이라도 다른 것을 발견해 단숨에 자신이 본 새로운 것들을 체계적으로 연결해서 다시 세상에 내놓는 사람이 있다. 다음 이야기를 집중해서 읽어 보자.

최근 흥미로운 그러나 참 비현실적인 일이 일어났다. 한 여고생이 택배 기사에게 "올 때 두부를 사오라"고 부탁한 사건이다.

이에 관한 기사를 글자 그대로 읽으면 우리가 얻을 수 있는 건 분노와 고통 그리고 불평과 같은 영양가 없는 감정뿐이다. 그러나 이런 식으로만 읽어서는 우리 일상이 달라지지 않는다. 먼저 상황을 나름대로 간단하게 정리하는 게 좋다. 그래야 상황을 입체적으로 분석해 한눈에 볼 수 있다.

　사건을 간단하게 정리하면 이렇다.

— 고등학교 1학년인 그녀의 가족은 번갈아 가며 저녁 준비를 한다.
— 자기 순서인 날에 된장찌개를 끓이고 있었는데, 두부 사는 것을 깜빡했다.
— 때마침 택배 기사로부터 지금 배송을 오겠다는 전화가 걸려왔고, "정말 죄송한데 오시는 길에 두부 한 모만 사다 달라"고 부탁했다.
— 5초간 말이 없던 택배 기사는 "택배만 배달한다"라며 전화를 끊었다.
— 잠시 후 택배를 가지고 온 기사는 그녀에게 잠시 나오라고 한 후 "나도 너만 한 자식이 있는데 그러면 안 된다"라며 약 10여분간 훈계했다.

여기까지만 읽으면 자연스럽게 이런 생각을 하게 된다.

— 그녀는 여전히 자기 잘못을 모르고 있다. 모르는 사람에게 혼났다는 생각에 분노하지만, 모르는 사람에게 두부를 사오라고 한 행동에 대한 반성은 없다.
— 한편, 택배 기사가 "그럼 지금 배달 가는 중이니까, 이왕 된장찌개를 끓이고 있으니 나도 식사하게 미안하지만 준비 좀 해달라"고 말했다면 그녀는 어떻게 반응했을까?

상황 그대로를 읽으면 택배 기사의 분노와 슬픔을 느끼며 끝난다. 하지만 구상력을 실현하기 위해 나는 고정관념에 사로잡혀 있던 항목을 삭제하고 최대한 사건의 알맹이만 남기려고 한다. 이를테면, 택배 기사, 어린 학생, 여자와 같은 단어를 사건에서 지우고 다시 읽는 방식이다. 그럼 이런 것들이 보인다.

— 배려는 어떤 마음에서 시작하는가?
— 이해한다는 것은 무엇을 의미하는가?
— 나의 말과 태도는 생각을 제대로 반영하고 있나?

긴 말을 걸어 내자 사건이 간단하게 정리되어 세상과 사람을 비난하던 손가락이 나에게 일상을 어떤 자세로 살아야 하는지 알려준다. 이제 사건의 본질이 보이자, 내가 어떻게 이 세상을 살아야 할지 세상에 필요한 게 무엇인지 사색할 수 있다. 변명과 비난으로 점철된 일상에서 빗어나 희망과 사랑을 발견할 수 있다.

우리가 무언가를 읽고 생각하는 이유는 사람과 직업 그리고 세상을 비난하기 위함이 아닌, 나와 주변을 더 아름답게 하기 위함이어야 한다. 세상을 조금 더 나아지게 하는 구상력은 그런 마음에서 나오는 법이니까.

질문으로 트렌드를 선도하는
주제 발견하기

트렌드란 결국 욕망의 흐름을 발견하고 섬세하게 관찰하는 자에게만 잡히는 '지혜로운 도망자'다. 지혜로운 도망자를 잡는 방법은 단 하나다. 도망자보다 조금 더 지혜로워지면 된다.

작가가 아니더라도 트렌드를 분석하는 힘은 누구에게나 필요한 능력이다. 기획자, 마케터, 제작자 등 트렌드를 아는 자는 모르는 다수의 대중을 이끌어 갈 수 있기 때문이다.

다음의 과정을 통해 주변과 상황을 분석한 후 일상의 질문을 반복하면 트렌드를 선도하는 주제를 발견할 수 있다.

가장 당연하다고 생각하는 것을 관찰하라. 당신은 지금 집에서 주방을 바라보고 있다. 당연하다고 생각하는 것들 중 하나를 발견해서 세심하게 들여다보자. 예를 들어 '숟가락'을 관찰한다고 생각해 보면, 이런 생각을 할 수 있을 것이다. 숟가락을 사용하는 가족의 숫자를 먼저 떠올리며, 집에 있는 모든 숟가락을 모아 보자. 요즘에는 집에 아무리 사람이 많아도 식구 수가 다섯을 넘는 집은 흔치 않다. 둘, 아무리 많아도 넷 이상은 거의 없다. 그럼 이런 질문을 던질 수 있다. "보통 가정에 식구는 많아야 4명인데, 숟가락은 왜 십수 개씩이나 있을까?"

본질을 꿰뚫는 질문을 던져라. 여건에 따라 이유가 있을 것이다. 명절마다 찾아오는 친척이나 가끔이나마 맞이하는 손님이 있으면 숟가락이 많이 필요할 수도 있다. 그건 과연 합리적인 생각의 흐름인가? 다시 이런 질문을 던져 보자. "집에 가족이 모이는 행사는 기껏해야 1년에 한 번 정도인데, 그런 이유로 그 많은 숟가락을 보관하고 있어야 하나?" 그럼 조금 생각이 바뀔 것이다. '이제 다들 자주 모이지도 않고, 사실 밖에서 먹을 때가 더 많네' 그리고 나서 마지막으로 이런 질문을 해 보자. "나만 이런 생각을 하고 있는 걸까?"

현실에 바로 연결하라. 나의 욕구는 곧 세상의 욕구다. 마찬가지로 나의 고민은 곧 세상의 고민이다. 우리는 거의 비슷한 것을 원하고 있고, 동시에 비슷한 고민을 하며 산다. 과거에는 한 공간

문해력 공부

에서 오래 머물렀고, 대가족이 많았고, 가족이 자주 모여 식사를 했지만 이제는 모든 것이 줄었고 개인의 공간을 중시하는 세상이 되었다. 그럼 이제 대상을 확장하자. 숟가락 하나에서 생각을 멈추지 말고, 숟가락처럼 필요 이상으로 집에 존재하는 다른 것이 있나 둘러보자. 나만의 공간에 대한 의미는 커졌지만 우리가 살아갈 공간은 좁아지고 있다. 그 공간을 차지하는 물건의 가짓수도 줄여야 하는 세상이 오고 있음이 느껴질 것이다. 굳이 필요 없는 물건을 잔뜩 쌓아두는 생활에서 벗어나고자 하는 욕구를 발견하는 순간 우리에게 삶과 공간을 정리해 줄 사람이나 시스템이 필요하다는 생각에 도달할 것이다.

카테고리의 갈래를 나누라. 만약 당신이 작가라면 글에 '정리'라는 키워드를 넣어 출판해 보라. 생각보다 뜨거운 반응을 얻게 될 것이다. 지금 당신의 직업이 무엇이든 상관없다. 거기에 '정리'라는 키워드만 넣으면 세상은 알아서 반응할 것이다. 그게 바로 다가올 트렌드이기 때문이다. 사람의 고민은 비슷하기 때문에 생각도 거의 비슷하고, 비슷한 시기에 유사한 콘텐츠가 나오게 마련이다. 시기가 매우 중요하다는 말이다. 다시 말해 스스로 카테고리를 창조하지 못하면, 아무리 경쟁을 해도 트렌드를 주도하지 못한 채 끝날 가능성이 높다. 실제로 '정리'가 분야를 막론하고 핵심 키워드로 뜨자 수많은 정리 전문가가 세상에 나왔다. 하지

7장. 범접할 수 없는 격차는 어떻게 만들어지는가

만 누군가는 수면 위로 올라왔지만, 다수는 금방 수면 아래로 가라앉았다. 이유가 뭘까? 카테고리를 제대로 설정하지 않았기 때문이다. 트렌드 분석이 끝났다고 바로 콘텐츠를 생산할 수 있는 것은 아니다. 세분화를 통해 카테고리의 갈래를 나눠야 한다. 그래야 누구나 접근할 수 있는 '인생 정리하기'라는 큰 주제에서, '집 정리하기'라는 작은 주제로 이동할 수 있고, 다시 '20평 집 정리하기', '거실 정리하기', '집중이 잘 되는 방 정리' 등 세분화를 통해 전문가의 자리를 선점할 수 있다.

"인생은 하나하나 버리면서
행복해진다."

질문회로를 자극하는
나를 표현하는 힘

무언가를 생산적으로 읽는다는 것은 '생각하는 읽기'이며, 나아가 '질문하며 읽기'라고 할 수 있다. "넌 왜 이렇게 표현이 식상하니?"라는 말을 자주 듣는 이유가 뭘까? 우리가 자신만의 독특한 표현을 제대로 구사하지 못하는 이유는, 결국 질문할 줄 모르기 때문이다. 다시, 이유가 뭘까?

2018년 아시안 게임에서 손흥민 선수가 군 입대가 걸린 중요한 시합을 할 때, 국내 언론의 반응과 외신의 반응은 같은 의미를 담고 있어도 그 표현은 완전히 달랐다. 한국에서는 주로, "손흥민 군 입대 피할 수 있나?", "입대가 걸린 시합!" 등의 표현을 썼다면, 그가 전업 선수로 뛰고 있는 영국에서는 같은 내용을 두고도 "우리는 내년에도 그가 뛰는 모습을 보고 싶다"라는 식으로 완전히 다른 시각에서 기사가 나왔다.

7장. 범접할 수 없는 격차는 어떻게 만들어지는가

또 다른 예를 살펴보자. 미국 LA 다저스 스타디움. 내셔널리그 디비전 시리즈 애틀랜타 브레이브스와 LA 다저스의 1차전 선발 투수로 류현진이 등판했다. 모두가 긴장하며 경기를 지켜봤고, 그는 기대에 부응하며 7이닝 동안 8탈삼진 4피안타 무사사구 무실점의 완벽한 피칭을 선보였다. 그러자 이번에도 국내 언론과 외신에서 수많은 기사가 쏟아져 나왔다. 국내 기사는 그저 사실 그대로를 전달하는 데 그쳤지만 외신의 헤드라인은 이렇게 달랐다.

"류현진은 한국어로 에이스를 의미한다."

"류현진이 애틀랜타 타선에 수갑을 채웠다."

무엇이 이런 표현의 격차를 만드는가? 기사는 표현하는 방식에 따라 다르게 읽힐 수 있다.

비교 대상을 철저하게 개인으로 설정해 보라. 우리는 '국내 최초', '아시아 최초', '여성 최초' 등의 표현에 익숙해져 있고, 최초를 도저히 찾아낼 수 없을 때 '최근 10년 동안 최고'라고 할 정도로 뭔가를 찾아내서 결국에는 어떤 의미를 부여한다. 경쟁하며 편을 가르는 의식에서 벗어나, 철저하게 개인으로 돌아가야 한다. '1년 전보다 나은 기록', '어제보다 발전한 모습' 등으로 비교 대상을 개인으로 한정해 보자. 일단 일상에서 비교 대상을 개인으로 한정해 보면, 실제로도 나만 할 수 있는 새로운 표현을 떠올릴 수 있다.

문해력 공부

타인의 시선에서 벗어나자. "둘이 먹다가 하나가 죽어도 모를 정도의 맛이다." 맛을 비교할 때도 우리는 타인을 억지로 끼어 넣는다. 식당에서도 "음, 너는 뭐 먹을래?", "나는 이거 주문할게, 너는 뭐 주문할래?"라는 식의 질문은 하지 않는 게 좋다. 자신이 먹고 싶은 메뉴만 생각하고, 다른 음식의 맛을 보겠다는 생각조차 하지 않는 게 좋다. 내 앞에 있는 내가 선택한 음식에만 집중해 보자. 작은 부분 하나에도 스스로부터 먼저 바라볼 수 있어야 한다. 그래야 타인의 시선에서 벗어나 "이게 진짜 나야"라고 말할 정도의 표현을 찾아낼 수 있다.

나를 위주로 표현하자. '저희들의 입장', '우리 가족의 생각' 등의 표현은 나의 존재를 사라지게 한다. '다들 그렇게 생각하니까 나도 그렇게 해야지'라는 생각을 버리고, 자신의 감각으로 느낀 것을 하나도 숨기지 말고 선명하게 표현하자. 단체에 숨어 있지 말고 자신 있게 자기 생각을 외치자. 생각한 것을 선명하게 표현하는 데 취약한 사람이 매우 많은 이유는, 자신을 위주로 생각하는 게 익숙하지 않아서이다. 내가 먼저 당당히 서야 누군가를 돕거나 지지할 수 있다는 생각으로, 일단은 자신을 위주로 생각하며 살아가는 시간이 필요하다.

자신의 생각과 감정을 솔직하게 표현하는 버릇을 들여야, 비로소 세상과 타인에게 질문할 수 있게 된다. 생각을 표현할 수 있다는 것은 질문할 준비를 마쳤다는 신호이다. 표현하는 법을 알면 관계도 더 좋아진다. 상대에 대해 충분한 시간을 두고 생각해 그를 위한다는 관점으로 질문하기 때문이다. 그러다 보면 주변 사람들로부터 애정과 관심을 받게 되며, 또 그런 자신이 사랑스러워진다. 결국 모든 게 하나로 연결된다. 단체에서 벗어나야 나를 알 수 있고, 나를 알아야 나를 표현하며 세상에 질문할 수 있게 되며, 그것은 나와 세상을 향한 사랑으로 이어진다.

나를 표현한다는 것은 결국 나와 세상을 사랑한다는 말과 같다. 그대 자신을 표현하라, 그것이 더 넓은 세계로 갈 수 있는 최선의 방법이다.

예술을 발견할 줄 아는 사람만이 사는 세계

글은 항상 제목을 먼저 제대로 이해하고 읽기 시작해야 한다. 보통은 '예술을 아는 사람'이라고 표현하지만 나는 '예술을 발견하는 사람'이라고 썼다. 그리고 그건 전문가로 연결한 제목을 완성했다. 예술은 바라보는 게 아니라, 발견하는 자의 몫이며, 전문가는 일상에서 최대한 자주 예술을 발견하는 사람이다. 말하자면, 누구나 자기 삶의 전문가가 될 수 있다. 누구에게나 일상을 누릴 자유가 있으며, 그 일상에서 발견은 생명에게 주어진 특권이다. 우리는 모두 전문가가 될 수 있는 자유와 특권을 갖고 있다. 아래에 전문가로 만드는 삶의 태도와 과정을 크게 4가지로 구분해 봤다.

전문가는 일상에 존재한다. 나는 세상에 존재하는 매우 다양한 분야의 전문가들을 만나 이야기를 나누었다. 그들은 각자 다른 환경에서 다른 분야를 공부했지만 단 하나, 자신의 분야에 대한 고민을 가진 채 현실에서 고통받고 있다는 공통점을 가지고 있었다. 쉽게 말해 부부 상담가는 부부 관계가 좋은 사람이 아니라, 부부 사이에서 같은 문제를 겪는 사람이기도 하다. 완벽하게 문제를 해결하고 현실에서 고민 없이 사는 사람이 아니라, 지금도 우리와 같은 고민을 하며 "싸울까, 말까?"라는 문제로 심각하게 고민하는 사람이라는 말이다. 물론 다른 점이 하나 있다. 이건 매우 중요한 문제다. 바로 다음으로 이어진다.

그냥 넘어가지 않는다. 그들은 우리와 같은 문제를 경험하며 그 안에서 해결책을 발견하려고 노력한다. 같은 것을 경험하지만 문제로만 보는 사람과 해결하려는 의지를 갖고 보는 사람은 다른 결과를 얻을 수밖에 없다. 그냥 넘어가지 않겠다는 강한 의지가 그를 그 분야의 전문가로 만든다. 그들은 우선 모든 분노와 질투, 성과와 패배에는 분명 이유가 있다고 생각한다. 다음에는 그 원인을 알아내고, 그것으로 고민하는 사람들에게, 그들이 가장 잘 알아들을 수 있는 언어로 차근차근 설명한다. 그래서 그들이 보고 듣고 느낀 것은 생각을 통해 누군가를 도울 수 있는 '처방전'이 된다. 고통이 곧 약인 셈이다. 아픈 경험이 있는 사람만이 지금 아픈 사람의 마음을 알 수 있다.

'감정의 인간'에서 '눈의 인간'으로의 진화 "너 참 일을 예술적으로 한다", "이번 발표 자료 예술이던데" 이런 찬사를 받으면 어떤 생각이 드나? 일과 발표를 예술로 승화했다는 것은 무엇을 의미하는 걸까? 우리가 흔히 생각하는 감성이 훌륭했다는 말일까? 전혀 아니다. 위대한 예술은 결코 감성으로만 만들어지지 않는다. 시작은 감성이지만 과정과 끝은 온통 이성으로 가득하다. 장미꽃을 바라볼 때 줄기 끝에 핀 장미만 보고 감탄하는 사람은 결코 예술을 알 수 없다. 시작은 장미이지만, 줄기와 뿌리까지 짐작하며 그 과정을 살펴야 한다. 예술은 감성에서 시작한 과학이다. 만유인력의 법칙을 발견한 뉴턴에게 만약 음악적 재능이 있었다면 그는 만유인력의 법칙을 연주로 표현하며 위대한 음악가가 되었을 것이다. 예술가는 그가 발견한 것을 매우 이성적인 과정을 통해 세상에 선보인다.

'눈의 인간'이 되려면 무엇을 해야 하나. 감정 변화는 언제나 우리를 괴롭게 한다. 그 특성이 우리를 감수성을 가진 사람으로 섬세하게 포장할 수도 있고, 감정 기복이 심한 사람으로 저평가되게 할 수도 있다. 그래서 '눈의 인간'으로의 진화가 필요하다. 바라보는 것만으로도 무언가를 눈에 담을 수 있기 때문에 고상하며, 내가 바라보며 무슨 생각을 하고 있는지 상대는 모르기 때문에 새롭고 신비롭다. 그래서 그것을 글과 음악, 기획안, 건축 등 세상의 모든 일에 반영하면 '나만 할 수 있는 예술'이 되는 것이다. 나만 볼 수 있는 것은 나를 예술가로 만들어 준다. 방법은 자연에서 찾아야 한다. "해가 떴네, 바람이 부네, 낙엽이 떨어지네." 자연은 늘 우리에게 최고의 영감을 주지만, 이런 방식의 시선으로는 무엇도 얻지 못한다. 존재에 갇힌 감정의 인간에서, 자유를 얻은 눈의 인간으로 진화하라. 모든 자연과 생명이 나를 향한다고 생각하며 보고 느껴라. 그럼 이렇게 표현이 바뀐다.

"해가 나를 바라보며 빛나네, 바람은 나를 향해 불어오네, 낙엽이 눈앞에서 흔들리네."

바라보기 위해서 눈은 존재하지 않는다. 오직 하나, 발견하는 것이다. 눈이 생명을 존재하게 한다. 예술가로 향하는 모든 경탄이 그 안에 있다.

내가 누구나 전문가로 살 수 있다고 말한 이유는, 정말 그게 가능하기 때문이다. 우리는 오늘도 살면서 많은 어려움을 겪고 서로 싸우고 비난한다. 놀랍게도 그 안에 바로 희망이 있다. 중요한 사실은 어떤 일을 겪어도 그냥 넘어가지 않는 성격은 없다는 것이다. 어떤 분야는 그냥 넘어가지만, '반드시'라고 부를 만큼 이상하게 어떤 분야에 관한 일은 그냥 넘어가지 않는 사람이 있다. 그 분야가 바로 당신의 전문 분야가 될 일이다. 눈에 걸리고 마음에 남아 도저히 넘어갈 수 없는 분야가 바로 당신의 전문 분야다. 아파하며 배우고, 바라보며 새로운 답을 찾을 수 있기 때문이다.

아픔이 자산이며, 바라보는 시간이 쌓여 누군가를 위로할 좋은 방법을 찾아준다. 다시 기억하자, 가장 위대한 예술은 일상에 존재한다. 그걸 바라보며 발견하는 사람이 바로 전문가다.

"내가 시작한 것이
곧 나의 것이다."

말에 속지 않고
철학을 유지하는 방법

주위를 압도하는 연기로 오스카상을 받은 최초의 이탈리아 영화 배우 안나 마냐니Anna Magnani가 세상을 떠나기 얼마 전, 사진을 찍기 위해 의자에 앉았다. 그녀는 사진을 찍기 전, 다소 긴장한 얼굴로 사진사에게 조용히 부탁했다.

"사진사 양반, 절대 내 주름살을 수정하지 마세요."

사진사가 그 이유를 묻자, 그녀는 이렇게 답했다.

"그걸 얻는 데 평생이 걸렸거든요."

내가 문해력을 강조하며 더 많은 사람에게 그것을 가지라고 말하는 이유는 다른 게 아니라, 당신의 주름이 아무 가치도 없이 한 줄 더 생기지 않기를 바라기 때문이다.

세상을 바꾼 문해력의 천재들은 각자 자신의 성과를 책으로 내지만 그들의 책으로 우리가 무언가를 배우기는 힘들다. 그들이 쓴 책은 "내가 이걸 했다. 한번 보여줄게"라는 마음으로 쓴 책이지, "우리 같이 해 볼까?"라는 마음으로 쓴 책이 아니다. 이건 매우 중요한 이야기다. 내가 문해력에 대한 책을 쓰며 정보를 대하는 자세의 중요성을 강조하는 이유가 여기에 있다. 우리는 "이것이 내가 생각한 가장 적절한 답이다"라고 말할 정도가 아니라면 누구에게도 말하거나 글로 쓰지 않아야 한다.

"두 대표는 협상 결렬을 선언했다."

"두 대표는 서로의 의견이 일치하지 않는다는 사실에 동의했다."

위에 나열한 두 문장은 결국 같은 의미다. 하지만 후자는 괜히 뭔가 긍정적인 느낌이 들고 제대로 읽지 않고 대충 넘어가는 사람에게는 협상에 성공했다는 말로 읽힐 수도 있다. 말은, 그래서 중요하고, 누군가에게는 위험하다.

말은 길어질수록 진실과 멀어진다. 진실은 짧다. 문학적인 표현을 하는 것이 아닌 이상 글이 필요 이상으로 길어질 필요는 없다. 대화나 글에서 '그러니까', '말하자면'과 유사한 방식의 표현을 자주 사용한다는 것은, 진실을 가리고 자신의 이익을 대변하는 사람일 가능성이 높다는 것을 의미한다. 진실한 말에는 언제나 꾸밈이 없고 간결하다. 듣는 사람에게는 싱그러운 자연 같은 편안함을 주고, 읽는 사람에게는 든든한 믿음을 준다.

기억과 사색의 차이로 구분하라. 암기력이 좋은 사람은 자신이 읽고 배운 것을 오래 기억한다. 그래서 때로 그들의 입에서 나온 멋진 말과 글에 유혹을 당하거나 속기도 한다. 세상에 좋은 말은 많다. 하지만 단지 그것을 암기해서 발음하는 것은 아무 소용이 없다. 어떤 사람에 대해서 알고 싶다면 그의 글과 말이 기억에서 나온 것인지 사색으로 깨우친 것인지 생각해 보라. 기억에서 나온 말은 근거를 설명하지 못하지만 사색으로 깨우친 말은 명료하게 설명할 수 있다. 그래서 아무리 말을 못하고 글을 쓰지 못하는 사람조차도 쉽고 빠르게 전달할 수 있다.

분노가 그 사람의 철학을 보여준다. 어떤 일이 생겼을 때 문제가 풀리지 않아서 화를 내는 사람을 본 적이 있는가? 그가 화내는 이유가 뭐라고 생각하는가? 답은 이미 문장 안에 있다. 문제가 풀리지 않아서 화를 내는 것이다. 마찬가지로 일상에서 자꾸 화를 내는 사람이 있다. 그들의 특징은 삶의 철학이 없다는 것이다. 철학이 없어 자신에게 주어진 문제를 풀 방법을 찾지 못해 늘 분노를 달고 산다. 타인을 빈번하게 비난하는 사람이 우리에게 해를 입히는 건 비난 그 자체 때문이 아니다. 이런 사람은 자기 책임을 타인에게 전가하는 데 익숙해져 있어 언젠가는 원치 않는 피해를 당한다. 문제를 풀 방법이 없어 자꾸 화를 내고, 뭘 시작해도 책임을 지지 않으려고 타인에게 전가하고 습관처럼 타인을 비난하

며 산다. 그 사람의 언어 습관을 자세히 살펴보면 그 사람의 내면
과 삶의 철학 유무까지 알 수 있다.

나는 누구인가, 나는 무엇을 아는가, 나는 어떻게 살 것인가,
이 세 개의 질문에 답할 수 있어야 글과 말에 속지 않고 자기 삶
의 철학을 다지며 살아갈 수 있다.

일상을 소중히 하는 데에서
문해력은 시작한다

임원 두 명이 서로 협력을 해야 하는 시기인데, 성격 차이로 자꾸만 협업을 하지 못하고 다투고 있다. 이때 만약 당신이 회사 대표라면 어떤 방법을 사용해서 두 사람을 협력하게 할 수 있을까? 한번 차분하게 생각해 보자. 단, 두 사람 중 한 명을 다른 곳으로 발령을 내거나 강제로 퇴직을 시킬 수 없다. 그렇다면 어떤 방법이 있을까? 만약 내가 대표라면 두 사람 중 위스키를 더 좋아하는 임원이 어떤 위스키를 즐겨 마시는지 알아낼 것이다. 그 임원에게 위스키를 선물해서 마음을 돌리려고? 전혀 아니다. 오히려 술을 약간 덜 좋아하는 임원의 방으로 가서, 그에게 직접 선물을 하며 사람들 눈에 잘 보이는 곳에 두면 좋을 것 같다는 암시를 할 것이다. 그리고 자연스럽게 사이가 좋지 않은 임원이 그의 방에 들러 우연히 술을 보게 되면서, 스스로 "어, 위스키 취향이 나랑 비슷하네, 그래도 맞는 게 있었네"라는 생각이 들게 할 것이다.

물론 쉬운 일은 아니다. 약간의 우연이 필요하고 기다리는 시간도 필요하다. 하지만 주어진 상황에서 문제를 해결하기 위해 다양한 변수와 상대의 기호를 파악해 역발상 접근법을 구상할 수 있다는 게 중요하다. 이런 식으로 시나리오를 짜서 다양하게 대응하다 보면 어떤 이외의 상황이 생겨도 당황하지 않고 침착하게 대처할 수 있다. 상황이 사람을 이끈다고 생각하지만, 상황을 읽는 눈이 뛰어난 문해력의 소유자들은 "우리가 상황을 사용하는 것이다"라고 전혀 다르게 생각한다.

드라마를 즐기는 사람은 대개 다른 분야의 책보다 소설을 좋아하고 또한 〈인간극장〉처럼 일상을 그대로 보여주는 프로그램은 좋아하지 않는 경우가 많다. 이유가 뭘까?
다른 예로 힌트를 조금씩 보여주려고 한다. 나는 역사에 관한 책은 이순신 장군의 〈난중일기〉처럼 본인이 자신의 이야기를 직접 들려주는 책만 읽는다. 서점 베스트셀러 순위를 보면 〈난중일기〉처럼 본인이 직접 본 역사를 쓴 사람의 책은 순위에 보이지 않고, 지금 시대에 사는 사람이 쓴 역사서만 가득하다. 다시, 이유가 뭘까?
〈인간극장〉은 우리의 일상이다. 실제 이야기를 악의적 편집이나 재미에 치중하지 않고 본래의 삶에 집중해 보여준다. 그런 의미에서 이순신 장군의 〈난중일기〉와 같다. 둘 다 공통적으로 나오는 장면은 결국 사는 이야기다. 먹고살기 위해서, 죽지 않기 위해서, 거대한 세상이라는 적의 침략에서 자신을 지키기 위해 분투한 내용으로만 가득하다. 〈인간극장〉과 〈난중일기〉를 보거나 시청하며 재미를 느끼는 사람은 거의 없다. 아마 〈난중일기〉를 처음부터 끝까지 다 읽은 사람도 많지 않을 것이다. 이유는 간단하다. 정말 재미가 없다. 그런데 왜 드라마와 소설, 현재의 시선에서 나오는 역사서는 재미있는 걸까?

"변주한 작가의 관점이 들어 있기 때문이다."

나는 무언가를 배우고 싶다면 꼭 원전을 읽어야 한다고 생각한다. 무언가를 읽었는데 혹시 '재미'가 있다면 그건 원전이 아니거나, '그 시대를 생생하게 겪은 사람이 그 시대에 쓴 글'이 아닐 확률이 높다. 현실은 드라마처럼 재미있는 일로 가득하지 않다. 로맨스와 승진, 파격, 복수는 현실에서 거의 일어나는 일이 아니다. 일상이 모여 결국 역사가 되기에, 역사도 마찬가지이다. 역사적 사건을 재미있다고 하는 것은 그것을 소개한 사람이 변주한 관점이 가득 녹아 있다는 증거다. 이순신 장군을 주제로 만든 각종 영화나 드라마 혹은 책을 즐겁게 봤다면 〈난중일기〉도 한 번 처음부터 끝까지 꼭 읽어 보라.

재미는 곧 사라지는 안개와 같은 것이니, 본질에 접근하지 못한다면 아무것도 남기지도 얻지도 못한다.

커피의 핵심은 원두다. 그러나 커피에 이것저것 첨가한 음료만 즐긴 사람은 원두에 대해서 영영 알 수 없다. 물론 이는 취향의 문제이기도 하다. 하지만 그 안에 뭐가 있는지는 알고 즐기는 게 좋지 않을까? 역사도 마찬가지다. 역사에 대한 책이 흥미롭고 재미있다는 것은 그 안에 상상과 짐작이 매우 많이 들어가 있다는 것을 증명한다. 마치 반등과 추락을 반복하는 드라마처럼 말이다. 문해력을 높이고자 본 책이나 방송이 도리어 우리의 있던 문해력마저 망친다. 생각하지 않게 만들며, 오히려 애꿎은 방향으로 생각을 굳어버리게 한다.

'문해력이란 이 세상에 존재하는 이미지, 환경, 사건을 텍스트로 만들어 생각할 수 있는 능력'이다. 그래서 문해력이란 시각적 감각이 필수다. 내가 무엇을 보고 있는지는 오직 나만 알 수 있다. 이를 글로 풀면 '나만 쓸 수 있는 글'이 되고, 말로 풀면 '나만 할 수 있는 말'이 되는 것이다. 나는 당신이 매일 바라보는 일상을 소중히 대하기를 바란다. 세상의 모든 드라마와 소설, 영화는 결국 일상에서 시작했기 때문이다. 그것을 즐기는 것도 좋지만, 그것이 시작한 곳을 자주 바라보며 읽고 관찰한다면, 소비자의 삶에서 벗어나 일상의 사소한 것을 혹은 역사의 어느 부분을 자신의 관점으로 변주해서 세상에 새로운 것을 내놓을 수 있게 될 것이다.

망치만 가진 사람은 모든 문제가 못 때문이라고 생각한다. 이유는 간단하다. 그래야 자신이 무언가를 할 수 있고 자신이 보유한 유일한 무기가 최고의 무기라는 사실을 세상에 알려 부와 권력을 잡을 수 있기 때문이다. 누군가 비정상적으로 무언가를 설득하고 주장한다면 귀를 막아 그의 소리를 차단하고, 눈을 떠 그가 손에 무엇을 들고 있는지 보라.

"그의 말이 아닌 그의 무기를 보라.
그의 주장이 아닌 그의 전술을 보라."

문해력 공부

문해력 향상을 위한 추천도서

높은 문해력 소유자들의 독서는 다르다

문해력 공부에 도움이 될 도서 62권을 엄선했다. 그저 아무 설명 없이 도서만 나열할 수도 있지만, 반드시 설명을 듣고 읽기를 권한다. 이 책에서 거듭 강조했듯이 어느 지점에서 성장이 멈추는 사람이 있고, 반면에 죽는 날까지 성장을 거듭하는 사람도 있다. 후자가 바로 높은 문해력의 소유자이며, 그들의 독서는 전자의 그것과 매우 다르다.

책을 선택하는 기준이 독서의 효율을 높인다

어떤 방법으로 책을 선택해야 문해력을 나의 것으로 만들 수 있을까? 문해력이 높은 이들에게는 책을 선택하는 나름의 기준이 있다. 그냥 보면 아무것도 보이지 않지만, 기준을 정해 책을 분류하면 내게 꼭 필요한 책을 찾는 게 점점 수월해진다. 하나는 '굳이 내가 읽을 필요가 없는 것'이고, 또 하나는 '내가 읽으면 괜찮은 것', 마지막 하나는 '내가 꼭 읽어야 할 것'이다. 이렇게 보면 별것 아닌 기준으로 보이겠지만, 지금까지 당신이 읽은 책 중에도 굳이 읽을 필요가 없었던 책이 있을지 모른다. 그러니 기준을 명확히 하면, 나에게 더 맞는 책을 찾아 있을 수 있다. "지금 내게 꼭 필요한 책이 무엇인가?"라는 생각을 갖고 있으면, 놀랍게도 그런 책이 보인다. 다음에 제시한 62권의 책은 당장 문해력 향상에 도움을 줄 수 있을 정도로 획기적인 내용을 담고 있다. 물론 이미 읽었지만 별 효과를 보지 못했다고 생각하는 책도 있을 수 있다. 그러나 그것은 어디까지나 아무런 기준 없이 무작정 선택해서 읽었을 때의 이야기다.

독서는 멈춤이 필수다

꼭 기억해야 할 게 하나 있다.

"읽었다고 해서 그것을 안다고 착각하지 말 것!"

책은 자신이 모르는 사실을 마치 알고 있는 것처럼 만든다. 책으로 우리는 경험하지 못한 것을 알게 되지만, 그건 진실로 아는 것이 아니다. 그건 마치 일을 하지 않고도 돈을 벌 수 있다고 착각하는 것과 같다. 타인이 경험으로 깨친 걸 읽고 나 역시 그걸

안다고 착각하는 순간, 그는 낮은 문해력 수준을 높일 기회마저
도 잃게 된다. 끝까지 책을 읽는 게 중요한 것이 아니라, 중간 중
간 독서를 멈추는 능력을 길러야 한다.

이성은 우리를 달리게 하고, 감성은 우리를 멈추게 한다

놀라운 속도로 책을 읽어내고 순식간에 지식을 학자 못지않게
갖추는 사람이 있다. 그런 사람들의 특징은 한 권을 끝까지 읽을
때까지 그 자리를 뜨지 않는다는 것이다. 그래서 순식간에 수준
높은 독서가로 성장한다. 그러나 그들의 성장은 딱 거기까지다.
지성을 유연하게 단련해 더 높은 성장을 이루려면 이 말을 꼭 명
심하라.

"이성은 우리를 달리게 하고, 감성은 우리를 멈추게 한다."

책을 읽다가 멈추지 않는다는 것은 경탄한 문장을 발견하지
못했다는 것이다. 끝까지 읽는 것이 독서의 핵심은 아니다. 독서
란, 중간중간 멈출 지점을 알고 이성과 감성의 조화를 만들어 가
는 것이며 그저 끝없이 앎을 찾고자 하는 사람은 영영 멈출 곳을
찾지 못해 기대 이상의 결과를 만들 수 없다.

아무 책이나 골라서 아무 페이지나 펼쳐라

이 책들을 나열된 순서대로 전부 읽거나 완독하려는 목적으로
접근하지 마라. 다 읽었다는 사실로 우리가 얻을 수 있는 것은 자

283
·
부록

기 만족뿐이다. 앞서 언급한 것처럼 "지금 내게 꼭 필요한 책은 무엇인가?"라는 질문을 던져 책을 골라, 아무 페이지나 펼쳐서 오래 읽어라. 책 한 권을 1년 내내 읽어도 좋다. 그건 그 책을 다양한 방법으로 읽었다는 멋진 증거일 테니까.

여기에 시와 소설, 과학, 미술, 건축, 마케팅, 일기, 역사, 철학, 경영과 경제 등 다양한 영역의 책 중 문해력 향상에 가장 좋은 책만 있다 해도 과언이 아니다. 이 책을 읽으며 당신은 모든 영역을 파괴하고 당신이라는 존재 하나로 모든 길을 연결하는 창조자의 삶을 살게 될 것이다.

- 〈마음은 어떻게 작동하는가〉, 스티븐 핑커, 김한영 역, 동녘사이언스
- 〈이기적 유전자〉, 리처드 도킨스, 홍영남·이상임 역, 을유문화사
- 〈코스모스〉, 칼 세이건, 홍승수 역, 사이언스북스
- 〈세설신어〉, 유의경, 명문당
- 〈시와 진실〉, 요한 볼프강 폰 괴테, 최은희 역, 동서문화사
- 〈색채론〉, 요한 볼프강 폰 괴테, 권오상·장희창 역, 민음사
- 〈싸우는 식물〉, 이나가키 히데히로, 김선숙 역, 더숲
- 〈세일즈맨의 죽음〉, 아서 밀러, 강유나 역, 민음사
- 〈종의 기원〉, 찰스 로버트 다윈, 송철용 역, 동서문화사
- 〈안네의 일기〉, 안네 프랑크, 홍경호 역, 문학사상
- 〈난중일기〉, 이순신, 송찬섭 편역, 서해문집
- 〈보도 섀퍼의 돈〉, 보도 섀퍼, 이병서 역, 에포케

- 〈어두워진다는 것〉, 나희덕, 창비
- 〈노동의 종말〉, 제러미 리프킨, 이영호 역, 민음사
- 〈유쾌한 이노베이션〉, 톰 켈리·조너선 리트먼, 이종인 역, 세종서적
- 〈눈물은 왜 짠가〉, 함민복, 책이있는풍경
- 〈이방인〉, 알베르 카뮈, 김화영 역, 민음사
- 〈좋은 기업을 넘어 위대한 기업으로〉, 짐 콜린스, 이무열 역, 김영사
- 〈팡세〉, 블레즈 파스칼, 이환 역, 민음사
- 〈리스트, 그 삶과 음악〉, 말콤 헤이스, 김형수 역, 포노PHONO
- 〈근사록집해〉(1, 2), 주희·여조겸 공편, 엽채 집해, 이광호 역주, 아카넷
- 〈인간 본성에 대하여〉, 에드워드 윌슨, 이한음 역, 사이언스북스
- 〈예루살렘의 아이히만〉, 한나 아렌트, 김선욱 역, 한길사
- 〈마케팅 전쟁〉, 앨 리스·잭 트라우트, 안진환 역, 비즈니스북스
- 〈잠 못 이루는 밤을 위하여〉, 카를 힐티, 곽복록 역, 동서문화사
- 〈젊은 베르테르의 슬픔〉, 요한 볼프강 폰 괴테, 박찬기 역, 민음사
- 〈레오나르도 다 빈치 노트북〉 레오나르도 다 빈치, 장 폴 리히터 편, 루비박스
- 〈언어로 세운 집〉, 이어령, arte(아르테)
- 〈괴테와의 대화〉(1, 2), 요한 페터 에커만, 장희창 역, 민음사
- 〈차라투스트라는 이렇게 말했다〉, 프리드리히 니체, 장희창 역, 민음사
- 〈죽음의 수용소에서〉 빅터 프랭클, 이시형 역, 청아출판사
- 〈어느 날 나는 흐린 주점에 앉아 있을 거다〉, 황지우, 문학과지성사
- 〈촘스키, 사상의 향연〉 노암 촘스키, 이종인 역, 시대의창
- 〈햄릿〉, 윌리엄 셰익스피어, 최종철 역, 민음사

- 〈존재와 시간〉, 마르틴 하이데거, 전양범 역, 동서문화사
- 〈동물농장〉, 조지 오웰, 도정일 역, 민음사
- 〈에밀〉, 장 자크 루소, 이환 편역, 돋을새김
- 〈몽테뉴 수상록〉, 미셸 드 몽테뉴, 손우성 역, 동서문화사
- 〈인간 실격〉, 다자이 오사무, 김춘미 역, 민음사
- 〈파리의 우울〉, 샤를 피에르 보들레르, 윤영애 역, 민음사
- 〈부활〉(1, 2), 레프 톨스토이, 연진희 역, 민음사
- 〈도덕경〉, 노자, 소준섭 역, 현대지성
- 〈사피엔스〉, 유발 하라리, 조현욱 역, 이태수 감수, 김영사
- 〈건축예찬〉, 지오 폰티, 김원 역, 열화당
- 〈세계는 평평하다〉 토머스 프리드먼, 이건식 역, 21세기북스
- 〈소학〉, 주희·유청지 편, 윤호창 역, 홍익출판사
- 〈말테의 수기〉, 라이너 마리아 릴케, 문현미 역, 민음사
- 〈철학적 탐구〉, 루트비히 비트겐슈타인, 이영철 역, 책세상
- 〈김수영 전집 2〉, 김수영, 이영준 편, 민음사
- 〈무소유〉, 법정, 범우사
- 〈아낌없이 주는 나무〉, 쉘 실버스타인, 이재명 역, 시공주니어
- 〈백년 동안의 고독〉, 가브리엘 가르시아 마르케스, 안정효 역, 문학사상
- 〈넥스트 소사이어티Next Society〉, 피터 드러커, 이재규 역, 한국경제신문사
- 〈어린 왕자〉, 앙투안 드 생텍쥐페리, 김화영 역, 문학동네
- 〈나는 바퀴만 보면 굴리고 싶어진다〉, 황동규, 문학과지성사
- 〈과학, 우주에서 마음까지〉, 존 랭곤·브루스 스터츠·앤드레아 지아노 폴루스, 정영목 역, 지호

- 〈향기로 말을 거는 꽃처럼〉, 이해인, 샘터
- 〈나무〉, 베르나르 베르베르, 뫼비우스 그림, 이세욱 역, 열린책들
- 〈권력이동〉, 앨빈 토플러, 이규행 역, 한국경제신문사
- 〈설득의 심리학 1〉, 로버트 치알디니, 황혜숙 역, 21세기북스
- 〈인연〉, 피천득, 민음사
- 〈잭 웰치·끝없는 도전과 용기〉, 잭 웰치, 강석진 감수, 이동현 역, 청림출판

___문해력 공부

1판 1쇄 발행 2020년 11월 16일
1판 7쇄 발행 2023년 2월 21일

지은이 김종원

발행인 양원석 **편집장** 김건희
영업마케팅 소아라, 이지원

펴낸 곳 ㈜알에이치코리아
주소 서울시 금천구 가산디지털2로 53, 20층 (가산동, 한라시그마밸리)
편집문의 02-6443-8902   **도서문의** 02-6443-8800
홈페이지 http://rhk.co.kr
등록 2004년 1월 15일 제2-3726호

Illustration copyright ⓒ Pierre Le-Tan

ISBN 978-89-255-8978-7 (03320)